*Ajude as pessoas
a alcançarem todo o
seu potencial.
Flagre-as fazendo
alguma coisa certa.*

KEN BLANCHARD, Ph.D.
SPENCER JOHNSON, M.D.

O Novo Gerente-Minuto

Tradução de
EVELYN KAY MASSARO

Prefácio à edição brasileira e revisão técnica de
PETER BARTH
Intercultural/Blanchard Global Partner para o Brasil

16ª edição

RIO DE JANEIRO – 2025

CIP-BRASIL. CATALOGAÇÃO NA FONTE
SINDICATO NACIONAL DOS EDITORES DE LIVROS, RJ

B571n
16ªed.
    Blanchard, Ken, 1939-
    O Novo Gerente-Minuto / Ken Blanchard, Spencer Johnson; tradução
Evelyn Kay Massaro. – 16ª ed. – Rio de Janeiro: Best Business, 2025.
    14 x 21 cm.

    Tradução de: The New One Minute Manager
    ISBN 978-85-68905-00-5

    1. Planejamento estratégico. 2. Planejamento empresarial.
    3. Desenvolvimento organizacional. 4. Desempenho. I. Johnson, Spencer.
    II. Título.

15-24221
    CDD: 658.4012
    CDU: 658.012.2

O Novo Gerente-Minuto, de autoria de Ken Blanchard e Spencer Johnson.
Texto revisado conforme o Acordo Ortográfico da Língua Portuguesa.

Título original norte-americano:
THE NEW ONE MINUTE MANAGER

Copyright © 2015 by Blanchard Family Partnership and Candle
Communications, Inc.
Copyright da tradução © 2015 by Best Business/Editora Best Seller Ltda.
Publicado mediante acordo com William Morrow, um selo da Harper Collins
Publishers. Todos os direitos reservados.

Proibida a reprodução, no todo ou em parte, sem autorização prévia por
escrito da editora, sejam quais forem os meios empregados.

Design de capa: Mariana Taboada a partir da capa original publicada pela
William Morrow um selo de HarperCollins*Publishers* (2015).
Editoração eletrônica: Geni Garcêz Condé.

Direitos exclusivos de publicação em língua portuguesa para o Brasil
adquiridos pela Best Business, um selo da Editora Best Seller Ltda. Rua
Argentina 171 — 20921-380 — Rio de Janeiro, RJ — Tel.: (21) 2585-2000, que
se reserva a propriedade literária desta tradução.

Impresso no Brasil

ISBN 978-85-68905-00-5

Seja um leitor preferencial Best Business.
Cadastre-se em www.record.com.br
e receba informações sobre nossos
lançamentos e nossas promoções.

Atendimento e venda direta ao leitor:
sac@record.com.br.

O símbolo

O símbolo do *Novo Gerente-Minuto* tem como objetivo lembrar-nos de que devemos reservar um minuto do dia para olhar os rostos das pessoas que lideramos e nos conscientizarmos de que elas são nossos recursos mais importantes.

 *Sumário*

Uma mensagem dos autores • 9
Prefácio à edição brasileira • 11
A história do Novo Gerente-Minuto
  A busca • 19
  O Novo Gerente-Minuto • 25
  O Primeiro Segredo: Objetivos-Minuto • 32
  Objetivos-Minuto: sumário • 41
  O Segundo Segredo: Elogios-Minuto • 43
  Elogios-Minuto: sumário • 51
  A avaliação • 54
  O Terceiro Segredo: Redirecionamentos-Minuto • 56
  Redirecionamentos-Minuto: sumário • 66
  O Novo Gerente-Minuto explica • 68
  Por que os Objetivos-Minuto funcionam • 73
  Por que os Elogios-Minuto funcionam • 86
  Por que os Redirecionamentos-Minuto funcionam • 93
  Outro Novo Gerente-Minuto • 109
  O Plano de Jogo do Novo Gerente-Minuto • 111
  Um presente para você mesmo • 112
  Um presente para os outros • 116

Agradecimentos • 119
Sobre os autores • 121
Dê o próximo passo • 125

Uma mensagem dos autores

O mundo mudou muito desde a publicação do *Gerente-Minuto* original. Hoje em dia, as organizações precisam agir mais depressa e com menos recursos para acompanhar as constantes transformações na tecnologia e na globalização. Para ajudá-lo a liderar, gerenciar e ser bem-sucedido neste mundo em constante mudança, temos o prazer de apresentar *O Novo Gerente-Minuto*.

Como os princípios básicos do livro *Gerente-Minuto* — que acabou se tornando um clássico — ajudaram milhões de pessoas em todo o mundo, eles continuam os mesmos, e vários trechos da história também foram mantidos.

Entretanto, assim como o mundo mudou, *O Gerente-Minuto* também se modificou. Agora, ele apresenta uma abordagem *nova* e mais colaborativa sobre liderança e motivação de pessoas.

Quando os Três Segredos começaram a ser ensinados, a hierarquia gerencial era a forma habitual de gestão.

Nos dias atuais, a liderança eficaz pode ser considerada um relacionamento de parceria. É o que você verá refletido em *O Novo Gerente-Minuto*.

As pessoas, nos dias de hoje, procuram maior realização no trabalho e na vida. Elas desejam se sentir engajadas e fazer uma contribuição significativa para o mundo, estando menos dispostas a trocar horas de trabalho para atender a necessidades particulares.

O *Novo Gerente-Minuto* entende tudo isso e trata seus funcionários sabendo quanto são essenciais para o sucesso da organização. Ele também compreende que atrair e manter talentos é a prioridade máxima.

O mais importante é a maneira de *usar* esta nova abordagem.

Como aconselhou Confúcio, grande sábio da Antiguidade: "A essência do conhecimento é que quem o possui deve usá-lo."

Imaginamos que você irá querer empregar os Três Segredos que descobrir em *O Novo Gerente-Minuto* para ser bem-sucedido neste mundo em constante mudança — não apenas com colegas e colaboradores no trabalho, mas também com sua família e seus amigos.

Se fizer isso, temos certeza de que você e as pessoas com quem vive e trabalha desfrutarão de vidas cada vez mais felizes, saudáveis e produtivas.

Ken Blanchard, Ph.D.
Spencer Johnson, M.D.

Prefácio à edição brasileira

É com muito gosto que escrevo o prefácio da edição brasileira de mais um best-seller mundial de Ken Blanchard e Spencer Johnson, ambos autores internacionalmente consagrados.

Blanchard e Johnson publicaram mais de 80 livros nos últimos 40 anos — o que nos dá a impressionante média de dois livros por ano —, traduzidos para 50 idiomas e com venda acumulada de mais de 80 milhões de exemplares. Sozinho, *O Gerente-Minuto*, publicado em 1982, vendeu mais de 15 milhões de exemplares, inaugurando um novo gênero de literatura: a parábola do mundo dos negócios. *Quem mexeu no meu queijo?*, publicado em 1998, teve 23 milhões de exemplares vendidos.

Será que dá para melhorar algo que já é um grande sucesso? Sim. *O Novo Gerente-Minuto* está sintonizado com os desafios da economia globalizada do terceiro milênio e com as necessidades das organizações de hoje, que precisam apresentar respostas mais rápidas, muitas vezes contando com menos recursos. O livro ensina como obter 80% dos resultados que queremos com 20% de esforço, além de nos mostrar que devemos manter o foco *tanto* nos resultados *quanto* nas pessoas.

Fui aluno do Dr. Blanchard em meu curso de mestrado, há 38 anos, e conduzo os treinamentos desenvolvidos por ele há três décadas, contando com a participação de mais de 54 mil executivos, gerentes e supervisores brasileiros. Ao longo desse tempo, conheci, presenciei e até participei diretamente de muitos eventos em que os Três Segredos do *Novo Gerente-Minuto*, em conjunto ou isoladamente, de fato fizeram a diferença e produziram resultados extraordinários.

Há quase cinquenta anos, quando era um jovem professor na Universidade de Cornell, Ken Blanchard criou uma revolução no sistema de ensino: no início do semestre letivo, entregava aos alunos as perguntas que cairiam na prova final.

Não demorou para que o diretor chamasse Blanchard para uma conversa. A explicação dele foi que sua intenção era exatamente que os alunos tirassem nota 10, por isso entregava as questões no primeiro dia e passava o restante do semestre tentando ensiná-los a respondê-las.

Se vocês, leitores, sorriram ao ler o trecho anterior, é porque captaram toda a filosofia por trás de *O Novo Gerente-Minuto*: o papel de um líder é ajudar cada um de seus liderados a tirar nota 10! E o livro mostra como fazer isso acontecer com base em Três Segredos.

O Primeiro Segredo: Objetivos-Minuto

Há pouco mais de 12 anos, Garry Ridge, CEO da WD-40, antigo aluno de Ken Blanchard, comprometeu-se a tornar realidade na sua empresa o que Ken fizera no ambiente acadêmico. Reuniu todos os diretores e gerentes da empresa e lançou o desafio: cada líder teria como principal papel criar condições para que cada um de seus colaboradores tirasse nota 10.

No começo do ano, os líderes se reuniam com cada um de seus colaboradores e estabeleciam de três a seis Objetivos-Minuto. O processo tinha três etapas principais: o planejamento, o acompanhamento e a avaliação do desempenho, feita a cada três meses, em vez de apenas uma vez por ano. Quando o colaborador era bem-sucedido, recebia um Elogio-Minuto.

Se o desempenho não fosse satisfatório, o Redirecionamento-Minuto colocava as coisas no lugar certo. Tanto o líder quanto os colaboradores deveriam mudar suas posturas a fim de alcançar a nota 10. Ideia simples, mas extremamente poderosa!

Vamos aos resultados: em 2010, a WD-40 atingiu o maior faturamento de sua história. A alta lucratividade gerou excelentes dividendos e fez com que as ações da empresa subissem a níveis nunca antes alcançados em Wall Street. Mais ainda, uma pesquisa acerca da felicidade dentro do ambiente organizacional mostrou níveis de satisfação e engajamento dos colaboradores oscilando entre 97 e 98,7%.

O Segundo Segredo: Elogios-Minuto

Durante um treinamento organizado por mim, um dos participantes chegou com um enorme sorriso no rosto. Ele me contou que descobrira a eficácia dos Elogios-Minuto. No dia anterior, avisara a esposa que chegaria tarde, e que, portanto, ela não deveria esperá-lo para o jantar. Quando chegou à casa, a mulher já havia se recolhido, pois acordava muito cedo. Porém, deixara o prato favorito dele aquecido no forno. Ele se deleitou com a refeição e também foi dormir.

No dia seguinte, bem cedo, a esposa acordou e, antes que ela deixasse a cama, o homem se lembrou do que tinha aprendido e fez um elogio à atitude da mulher. Depois, dirigiu-se à cozinha para fazer o desjejum e encontrou uma surpresa: um café da manhã digno de um hotel cinco estrelas. Ele lembrou que, em 15 anos de casamento, a esposa nunca preparara um café da manhã como aquele.

O Terceiro Segredo: Redirecionamentos-Minuto

Há alguns anos, uma jovem muito inteligente e qualificada trabalhou em minha empresa. Ela era responsável pela editoração eletrônica de nossos materiais de treinamento. Tinha formação acadêmica em ciências da computação e era muito habilidosa em seu trabalho.

Um dia, tivemos uma queda de energia e, quando a luz voltou, ocorreu um pico de tensão que danificou nosso principal computador, exatamente aquele no qual o trabalho dos três últimos meses estava gravado.

Nesse momento, constatei que minha assistente não gravara um *backup* externo e que nossos arquivos ficaram irremediavelmente inacessíveis. Chamei a jovem para uma conversa reservada em minha sala. Ela estava muito tensa. Eu também, mas usei de todo o meu autocontrole para me dirigir a ela com calma e tranquilidade, dizendo que aquele problema poderia ter sido evitado. Ela estava à beira de um ataque de nervos, na defensiva, mas admitiu que deveria ter feito o *backup* com mais frequência. Em seguida, fiz um elogio a seu trabalho como um todo, destacando sua importância para a empresa. Ela, então, assumiu o erro e concluiu que resolveria o problema. A conversa terminou com um aperto de mão e uma grande sensação de alívio para ambos. Desde então, nunca mais tivemos problemas de *backup* de arquivos.

Não importa se sua empresa é uma multinacional, pequena ou média. Não importa que você tenha poucos ou mesmo nenhum colaborador direto. Os conceitos de *O Novo Gerente-Minuto* podem ser aplicados em seu trabalho, em sua família ou em seu círculo de amizades, melhorando a qualidade dos relacionamentos e ajudando as pessoas que trabalham e convivem com você a obterem resultados melhores em menos tempo, com menos desgaste e com maior produtividade e satisfação de todos os envolvidos.

Boa jornada!

Rio de Janeiro, maio de 2015.
Prof. Peter Barth
Presidente da Intercultural
Blanchard Global Partner para o Brasil

O Novo Gerente-Minuto

ERA uma vez um rapaz muito inteligente que procurava um tipo especial de gerente, capaz de gerenciar e liderar em nosso mundo moderno, que passa por constantes transformações.

O jovem queria encontrar alguém que soubesse encorajar as pessoas a equilibrar o trabalho e a vida pessoal, de maneira que ambos se tornassem mais significativos e prazerosos.

Ele gostaria de trabalhar para alguém com esse perfil e desejava se tornar igual a essa pessoa.

Sua busca já durava vários anos e o levara a visitar os lugares mais remotos.

Estivera em cidades pequenas e nas capitais das nações mais poderosas.

Conversara com muitos gerentes que tentavam lidar com um ritmo de mudança cada vez mais acelerado: executivos e empresários; diretores no serviço público e militares; presidentes de universidades e diretores de fundações; gerentes de lojas, restaurantes, bancos e hotéis; homens e mulheres, jovens e velhos.

Entrara em todo tipo de escritório, grandes e pequenos, luxuosos e modestos, com ou sem janelas grandes.

Estava começando a ver a gigantesca gama de maneiras como pessoas gerenciam outras.

Mas nem sempre ficava satisfeito com o que via.

Já conhecera muitos gerentes "durões", cujas organizações pareciam estar vencendo, enquanto as pessoas que trabalhavam nelas pareciam sair perdendo.

Alguns até achavam que eram bons gerentes. Mas muitos de seus subordinados pensavam diferente.

Quando estava sentado nas salas desses "durões", o rapaz perguntava: "Que tipo de gerente o senhor acha que é?"

As respostas variavam muito pouco.

"Sou um gerente de resultados — estou sempre no comando da situação." "Obstinado." "Realista." "Focado nos lucros."

Essas pessoas também contavam que sempre agiram desse jeito e não viam motivo para mudar.

O rapaz sentia o orgulho nas vozes desses gerentes e em seu interesse por resultados.

O rapaz também conheceu muitos gerentes "bonzinhos", cujo pessoal parecia ganhar enquanto as organizações perdiam.

Alguns funcionários que trabalhavam diretamente com eles diziam que eram bons gerentes.

Entretanto, seus superiores tinham dúvidas disso.

Quando o rapaz ficava diante desses gerentes "bonzinhos" e fazia a mesma pergunta, ouvia:

"Sou um gerente participativo." "Estou sempre pronto a dar apoio."

"Compreensivo." "Humanista."

Também disseram que sempre tinham agido dessa forma e não viam motivo para mudar.

Ele ouvia o orgulho em suas vozes e percebia o interesse que tinham nas pessoas.

Mas isso o deixou perturbado.

Era como se a maioria dos gerentes do mundo continuasse administrando da maneira como sempre haviam feito e estivesse primariamente interessada ou em resultados, ou em pessoas.

Gerentes interessados em resultados muitas vezes eram rotulados como "autocráticos", enquanto os mais "humanos" ganhavam o rótulo de "democráticos".

O rapaz pensou que esses dois tipos — o autocrata "durão" e o democrata "bonzinho" — só eram parcialmente eficazes. "É como ser um gerente pela metade."

Ele voltou para casa cansado e desanimado.

Poderia ter desistido da busca havia muito, mas reconheceu que tinha uma grande vantagem, porque sabia exatamente o que estava procurando.

"Nestes tempos de mudança, pensou, os gerentes mais eficazes gerenciam a si mesmos e as pessoas com quem trabalham de modo a fazer com que tanto elas quanto a organização lucrem com sua presença."

O jovem procurara um gerente eficaz em todos os cantos, mas encontrara poucos. O pior é que esses não estavam dispostos a revelar seus segredos. Começou a pensar que talvez nunca encontrasse o que buscava.

Foi então que começou a ouvir histórias maravilhosas sobre um gerente especial que, para sua surpresa, morava em uma cidade próxima. Diziam que as pessoas gostavam de trabalhar com ele e que, juntos, produziam grandes resultados.

Também ouviu dizer que, quando as pessoas aplicavam os princípios do gerente em sua vida privada, obtinham grandes resultados.

Ficou pensando se as histórias eram mesmo verídicas e se o homem estaria disposto a contar seus segredos.

Curioso, ligou para a assistente desse gerente especial para tentar marcar uma entrevista. Para sua surpresa, a mulher na mesma hora transferiu a ligação para o chefe.

O rapaz perguntou quando seria possível fazer uma entrevista, e o gerente respondeu:

— Pode ser em qualquer dia da semana, menos na manhã de quarta-feira. Você escolhe a data.

O jovem ficou intrigado. Que tipo de gerente tinha tanto tempo disponível? Mas também ficou fascinado e foi conversar com o sujeito.

Quando o jovem chegou ao escritório do gerente, o homem olhava pela janela. Ele se virou e convidou o rapaz a se sentar.

— O que posso fazer por você?

— Tenho ouvido falarem muito bem do senhor e gostaria de saber mais sobre o modo como gerencia.

— Bem, estamos aplicando nossos métodos em várias situações *novas* e diferentes para lidar com todas as mudanças que estão acontecendo, mas falaremos disso mais tarde. É melhor começarmos com o básico.

"Éramos uma companhia que seguia um modelo vertical, segundo uma hierarquia, o que já foi muito útil. Atualmente, porém, essa estrutura é muito vagarosa. Ela não inspira as pessoas e também sufoca inovações. Os consumidores exigem um serviço mais rápido e produtos melhores, por isso precisamos da contribuição de todos, de acordo com seus talentos. A capacidade intelectual não está limitada apenas ao nível executivo; pode ser encontrada por toda a organização.

"Como hoje em dia ser veloz é um requerimento para alcançar o sucesso, gerenciar com colaboração é muito mais eficaz do que o antigo sistema de comando e controle."

— E como o senhor gerencia com colaboração?

— Faço uma reunião com a equipe uma vez por semana, nas manhãs de quarta-feira, foi por isso que avisei que não podia recebê-lo na quarta. Nessas ocasiões, fico de ouvidos atentos enquanto o grupo revê e analisa o que conseguiu realizar na semana anterior, os problemas encontrados, o que ainda precisa ser executado e os planos e estratégias para alcançar esses objetivos.

— As decisões tomadas nessas reuniões são obrigatórias tanto para o senhor quanto para a equipe?

— Sim. O propósito da reunião é fazer todos participarem da tomada de decisões sobre o que fazer em seguida.

— Então o senhor é um gerente participativo?

— Não é bem assim. Acredito na facilitação, mas não na participação no processo da tomada de decisões de outras pessoas.

— Então, qual é o propósito dessas reuniões?

— Mas eu não acabei de explicar isso?

O rapaz ficou meio sem jeito e desejou não ter falado essa bobagem.

O gerente fez uma pausa e respirou fundo:

— Estamos aqui para obter resultados. Reunindo os talentos de todos, nos tornamos muito mais produtivos.

— Ah, então o senhor é mais orientado para resultados do que para as pessoas?

O gerente se levantou e começou a andar de um lado para outro.

— Para serem bem-sucedidos mais depressa, os gerentes têm de ter as duas orientações.

"Como é possível obter resultados se não for por meio das pessoas? Então, eu me preocupo com as pessoas *e* com os resultados, porque eles caminham lado a lado.

"Veja isto. — O gerente apontou para seu computador. — Mantenho essa mensagem como protetor de tela para me lembrar de uma verdade prática."

Pessoas que se sentem bem consigo mesmas produzem bons resultados.

Enquanto o rapaz olhava a tela, o gerente continuou:

— Pense em si mesmo. Quando você trabalha melhor? Não é quando está satisfeito consigo mesmo? Ou quando não está?

O jovem assentiu enquanto começava a entender o óbvio.

— Sim, sei que sou mais produtivo quando estou satisfeito comigo mesmo.

— É claro! Todo mundo é assim.

— Então, se entendi bem, ajudar as pessoas a ficarem satisfeitas consigo mesmas é a chave da produtividade.

— Sim. Mas lembre-se, a produtividade é mais que a *quantidade* de trabalho feito. Também é a *qualidade*.

Ele foi para perto da janela e falou:

— Venha ver isto.

Quando o rapaz chegou à janela, o gerente apontou para um restaurante do outro lado da rua.

— Está vendo quantos clientes esse restaurante tem?

Havia uma fila na porta do estabelecimento.

— Deve ser por causa da localização.

— Se for isso, por que não tem uma fila de pessoas na porta daquele restaurante quase ao lado? Por que as pessoas querem comer no primeiro e não no segundo?

O rapaz respondeu:

— Porque a comida e o serviço do primeiro restaurante são melhores?

— Sim, é bem simples. Se você não oferecer um produto de qualidade e o serviço que as pessoas querem, seu negócio não prospera.
"É fácil não ver o óbvio. O melhor modo de obter resultados positivos é contar com as *pessoas*! São as *pessoas* que trabalham nos melhores restaurantes que estão criando o sucesso do lugar!"
Essas palavras atiçaram o interesse do jovem. Enquanto voltavam para as poltronas, ele perguntou:
— O senhor acabou de dizer que não é um gerente participativo. Então me diga, como se descreveria?
— Eles me chamam de Novo Gerente-Minuto.
O rosto do rapaz mostrou surpresa.
— De quê?
Rindo, o gerente falou:
— Eles me chamam assim porque eu e minha equipe conseguimos bons resultados em muito pouco tempo.
Embora tivesse conversado com muitos gerentes, nunca ouvira alguém falar dessa maneira. Era difícil acreditar que uma pessoa possa obter bons resultados sem despender muito tempo.
Vendo a dúvida no rosto de seu interlocutor, o gerente falou:
— Você não acredita, não é?

— Devo admitir que é difícil até de imaginar.

O gerente soltou uma gargalhada e respondeu:

— Olhe, se você quer mesmo saber que tipo de gerente eu sou, por que não fala com alguns membros da minha equipe? — Ele virou para o computador, imprimiu uma lista e entregou-a ao rapaz. — Esses são os nomes, cargos e telefones das seis pessoas que se reportam a mim.

— Com quem devo falar?

— A decisão é sua. Escolha um nome qualquer. Converse com um deles ou com todos.

— O que eu quis dizer é: por quem devo começar?

— Como eu já disse... não tomo decisões pelos outros — respondeu o gerente com firmeza. — É você quem precisa decidir. — Depois se calou e ficou em silêncio por um tempo que pareceu longo demais.

O rapaz sentiu o desconforto voltar e desejou não ter pedido ao gerente para tomar uma decisão que deveria ser só dele.

O gerente levantou-se e acompanhou seu visitante até a porta. Depois, disse:

— Você quer saber mais sobre liderança e gerenciamento de pessoas, e eu o admiro por isso.

— Se tiver perguntas depois de conversar com alguém de minha equipe — acrescentou —, volte a falar comigo.

"Eu realmente gostaria de dar de presente a você o conceito do Gerente-Minuto. Uma pessoa me deu esse presente, e ele fez uma grande diferença. Quando entendê-lo, é possível que um dia você se transforme em um gerente."

— Obrigado — disse o rapaz.

Enquanto estava deixando o escritório, passou pela mesa de Courtney, a assistente do gerente, que disse:

— Pela sua expressão, estou vendo que ficou impressionado com nosso gerente.

O rapaz, que ainda estava tentando organizar seus pensamentos, concordou:

— Acho que fiquei mesmo.

— Posso ajudá-lo em alguma coisa? — perguntou ela.

— Sim. O gerente me deu esta lista de pessoas com quem eu poderia conversar.

Courtney consultou a lista.

— Três dessas pessoas estão fora nesta semana. Mas Teresa Lee, Paul Trenell e Jon Levy estão aqui. Vou ligar para eles e posso ajudá-lo a marcar as entrevistas.

— Fico muito agradecido. — O rapaz sorriu.

Quando o jovem chegou à sala de Teresa Lee, a mulher tirou os óculos de leitura e sorriu.

— Ouvi dizer que você esteve com nosso gerente. Ele é um sujeito e tanto, não acha?

— É o que parece.

— Ele sugeriu que você devia conversar conosco sobre o modo como gerencia?

— Sim, sugeriu.

— É impressionante como tudo dá certo — disse Teresa. — Ainda me surpreendo com o pouco de tempo que ele precisa gastar comigo desde que aprendi a fazer o meu trabalho.

— Verdade?

— Pode acreditar. Hoje em dia, eu mal o vejo.
— Quer dizer que você não recebe ajuda dele? — perguntou o rapaz, intrigado.
— Não tanto como quando comecei, mas ele passa um bom tempo comigo no início de uma nova tarefa ou responsabilidade. É nessa hora que estabelecemos nossos Objetivos-Minuto.
— Objetivos-Minuto? O que é isso?
— Esse é o primeiro dos Três Segredos da Gerência-Minuto — explicou Teresa.
— Três Segredos? — O rapaz estava ansioso por saber mais.

— Sim. Estabelecer os Objetivos-Minuto é o início da Gerência-Minuto. Veja bem, na maioria das organizações, quando se pergunta aos colaboradores o que eles fazem e depois se pergunta a mesma coisa ao chefe, o mais comum é receber duas respostas diferentes.

"De fato, em algumas organizações em que trabalhei, qualquer relação entre o que eu pensava ser minhas responsabilidades e o que meu chefe pensava sobre elas era pura coincidência. Então, eu acabava me saindo mal por não fazer alguma coisa que eu nem sabia que era esperada de mim."

— Esse tipo de situação também acontece aqui?

— Jamais! — exclamou Teresa. — Nosso gerente trabalha conosco para deixar bem claro quais são nossas responsabilidades e o que ele espera de nós.

— E como ele consegue fazer isso? — O rapaz estava ansioso para conhecer o segredo.

— Cada vez com maior eficiência — Teresa sorriu.

— De fato, hoje em dia eu o chamo de *Novo* Gerente-Minuto, porque ele está fazendo coisas de uma maneira nova, ainda mais eficaz.

— Como?

Ela explicou:

— Por exemplo, em vez de estabelecer objetivos para nós, ele ouve as ideias que temos e fica junto do grupo para desenvolvermos nossa estratégia. Depois de chegarmos a um acordo sobre os objetivos mais importantes, cada um é descrito em uma única página.

"Ele acredita que um objetivo e seu padrão de desempenho — o que deve ser feito e em que data será terminado — não deve precisar de mais do que um ou dois parágrafos para ser descrito, de modo que possa ser lido e revisado em cerca de um minuto.

"Quando conseguimos escrever os objetivos em poucos parágrafos, é fácil lançar um olhar rápido para as anotações quando necessário e manter o foco no que é de fato importante.

"Por fim, passo para ele um e-mail com meus objetivos e faço cópias, de modo que tudo esteja claro. Assim, verificamos meu progresso periodicamente."

— Mas, se vocês fazem uma página para cada meta, não acabam sendo muitas páginas para cada colaborador?

— Não, não é assim. Acreditamos na regra 80/20. Ou seja, 80% dos resultados realmente importantes virão de 20% dos objetivos. Então, estabelecemos Objetivos-Minuto apenas para esses 20% — ou seja, nossas principais áreas de responsabilidade. Isso dá de três a cinco objetivos. Naturalmente, no caso de surgir um projeto especial, estabelecemos Objetivos-Minuto especiais.

Teresa continuou:

— Como cada objetivo pode ser lido em cerca de um minuto, somos incentivados a fazer uma pausa de vez em quando para ver o que estamos fazendo e se está de acordo com nossos objetivos. Se não, ajustamos o que estamos fazendo. Isso nos ajuda a ter sucesso mais cedo.

— Então, *você* olha para saber se está fazendo o que é esperado de você, em vez de ficar esperando que seu chefe venha examinar seu trabalho.

— Sim.

— Isso, de certa maneira, significa que você é seu próprio gerente.

Teresa assentiu.

— Exatamente. E é mais fácil, porque sabemos o que é esperado de nós. Nosso gerente tem certeza de que sabemos o que é um bom desempenho, porque nos explicou com clareza. Em outras palavras, as expectativas estão bem claras para ambos.

O rapaz ainda parecia ter dúvidas.

— Entretanto, muitos de nós trabalhamos a distância, e o gerente nem sempre pode nos orientar pessoalmente, mas ele o faz de outra maneira.

— Você pode me dar um exemplo?

— Claro — disse Teresa. — Um de meus objetivos era identificar um problema e achar uma solução que, quando implementada, melhoraria a situação.

"Quando comecei a trabalhar aqui, estava viajando e detectei um problema que precisava ser resolvido, mas não sabia o que fazer. Telefonei para o gerente. Quando ele atendeu, falei:

"— Tenho um problema.

"Antes que eu pudesse dizer outra palavra, ele falou:

"— Ótimo! Foi para resolvê-lo que você foi contratada. — Em seguida, ficou um silêncio total.

"Eu não sabia o que dizer. Comecei a gaguejar.

"— Mas, mas... não sei nem por onde começar.

"Ele respondeu:

"— Teresa, um de seus objetivos para o futuro é identificar e resolver seus *próprios* problemas. Porém, como você é nova na empresa, vamos conversar. Pois bem, me conte qual é o problema.

"Tentei descrever o problema da melhor maneira possível, mas estava muita nervosa e na defensiva.

"Meu gerente me acalmou quando disse, com toda a gentileza:

"— Só diga o que as pessoas estão fazendo, ou deixando de fazer, que é o que está causando o problema.

"Ouvir isso me fez pensar na verdadeira situação em vez de pensar em mim mesma, então descrevi o problema do modo que ele pedira.

"Por fim, ele disse:

"— Muito bem, Teresa! Agora explique o que você gostaria que estivesse acontecendo.

"— Não tenho certeza se sei disso — falei.

"— Então — respondeu ele — me ligue outra vez quando souber.

"Congelei por alguns segundos. Simplesmente não sabia o que dizer. Graças aos céus ele quebrou o silêncio.

"— Se você não consegue me contar o que gostaria que estivesse acontecendo, ainda não tem um problema. Está só reclamando. Um problema só existe quando há uma diferença entre o que *realmente* está acontecendo e o que você *gostaria* que estivesse acontecendo.

"Como eu aprendo fácil, de repente me dei conta de que sabia o que gostaria que estivesse acontecendo. Depois que expliquei isso, ele me pediu para falar sobre o que poderia ter causado a discrepância entre o real e o desejado.

"Depois disso, ele perguntou:

"— E agora, o que você pretende fazer?

"— Bem, eu poderia fazer 'A'.
"— Fazendo 'A', o que você gostaria que acontecesse realmente aconteceria? — inquiriu ele.
"— Não — respondi.
"— Então, você tem uma solução ruim. O que mais poderia fazer?
"— Eu poderia fazer 'B' — falei.
"— Fazendo isso, o que você gostaria que acontecesse realmente aconteceria? — perguntou ele, mais uma vez.
"— Não — respondi, mas estava mais consciente.
"— Quer dizer que também é uma má solução. O que mais você poderia fazer?
"Pensei por alguns minutos e falei:
"— Eu poderia fazer 'C', mas, se fizer isso, o que desejo não vai acontecer, portanto, não é uma solução. Certo?
"— Certo. Você está começando a entender — brincou ele. — E o que mais poderia fazer?
"Sentindo-me aliviada, dei uma risada.
"— Talvez eu pudesse combinar algumas dessas soluções.
"— Acho que vale a pena tentar — disse ele.
"— Sim. Se eu fizer 'A' nesta semana, 'B' na próxima e 'C' daqui a quinze dias, terei encontrado a solução. É fantástico! Obrigada. O senhor resolveu o problema para mim.
"— Nada disso — insistiu ele. — Você resolveu sozinha. Eu só fiz algumas perguntas, o que você poderá fazer a si mesma, no futuro.

"Eu sabia o que ele tinha feito, é claro. Ele me mostrou como resolver problemas para que eu pudesse resolvê-los sozinha no futuro."

— Isso é o que você chama de ver o que é um bom desempenho?

— Sim. Meu gerente me *mostra* como devo agir para entender a situação e cuidar dela sozinha.

"No fim da ligação, ele falou:

"— Você é muito boa nisso, Teresa. Lembre-se disso na próxima vez que se deparar com um problema."

Teresa procurou uma posição mais confortável na poltrona, e sua expressão mostrava que ela estava revivendo o primeiro encontro com o gerente.

— Eu me lembro de que fiquei sorrindo ao pensar que o comportamento dele significava que não pretendia participar tanto de minhas atribuições no futuro.

— Ele agiu dessa maneira porque viu que você podia aprender a resolver problemas de um modo ainda melhor por conta própria?

— Sim. Ele quer que toda a equipe tenha prazer em realizar as tarefas com mais rapidez e eficiência.

O rapaz pensou por um instante e falou:

— Posso ver como isso permite à organização responder melhor e mais rápido, com mais pessoas da equipe sendo capazes de agir por conta própria. Será que você me daria permissão para escrever um resumo do que aprendi até agora?

— Acredito que essa seja uma ótima ideia.

Então o rapaz escreveu:

Os Objetivos-Minuto funcionam bem quando você:

1. Planeja os objetivos em conjunto e os descreve de maneira clara e breve. Mostra às pessoas o que considera um bom desempenho.

2. Faz com que cada colaborador escreva cada um de seus objetivos, incluindo o prazo em que deverão ser concluídos, em uma única página.

3. Pede que cada um reveja seus objetivos mais importantes diariamente, o que pode ser feito em poucos minutos.

4. Incentiva as pessoas a reservar um minuto para examinar o que estão *fazendo*, com o objetivo de ver se seu comportamento está de acordo com seus objetivos.

5. Se a resposta não for positiva, incentiva-os a repensar o que estão fazendo para conseguirem atingir seus objetivos o quanto antes.

O rapaz mostrou seu resumo para Teresa.

— É isso aí! Você aprende rápido.

— Obrigado — Ele estava muito satisfeito consigo mesmo. — Mas, me diga, se estabelecer objetivos é o primeiro segredo para se tornar um Gerente-Minuto, posso perguntar quais são os outros?

Teresa riu, consultou o relógio e disse:

— Por que não pergunta a Paul Trenell? Você tem uma entrevista marcada com ele para depois da nossa conversa, não é?

O rapaz ficou impressionado com a rapidez com que Teresa fora informada sobre sua programação. Ele se levantou e estendeu a mão para se despedir.

— Sim, e muito obrigado pelo seu tempo.

— Foi um prazer. Hoje em dia, tenho muito mais tempo livre. Como você deve ter notado, estou para me tornar uma Nova Gerente-Minuto.

— Quer dizer que você percebe o que está mudando e procura novas maneiras de aplicar os Três Segredos?

— Sim; me adaptar às mudanças é um de meus principais objetivos.

ENQUANTO o rapaz deixava a sala de Teresa, continuava impressionado com a simplicidade do que acabara de ouvir. Pensou: "Faz sentido. Afinal, como alguém pode ser um gerente eficaz sem que ele e seu time estejam informados sobre os objetivos e o que é considerado um bom desempenho?"

Quando chegou ao escritório de Paul Trenell, ficou surpreso ao encontrar alguém tão jovem. Paul devia ter entre 28 e 30 anos.

— Quer dizer que você conversou com nosso gerente. Ele é um sujeito e tanto, não acha?

O rapaz já estava se acostumando a ouvir que o gerente "era um sujeito e tanto".

— É o que parece.

— Ele lhe explicou como gerencia?

— Explicou. É verdade? — O rapaz estava imaginando se receberia uma resposta diferente da que ouvira de Teresa.

— Claro que é. No último lugar em que trabalhei, meu chefe me gerenciava nos mínimos detalhes, mas nosso Novo Gerente-Minuto não acredita nesse estilo de liderança.

— Quer dizer que o gerente não ajuda você?

— Não tanto quanto no início, quando eu estava aprendendo. Ele confia mais em mim, agora.

"Mesmo assim, passa um bom tempo comigo no começo de um novo projeto ou responsabilidade."

— Sim, acabo de aprender como estabelecer Objetivos-Minuto — disse o rapaz.

— Na verdade, eu não estava pensando em Objetivos-Minuto, e sim em Elogios-Minuto.

— Elogios-Minuto? Esse é o Segundo Segredo?

— Sim. Quando comecei a trabalhar aqui, meu gerente deixou bem claro o que pretendia fazer.

— E o que foi?

— Ele explicou que seria muito mais fácil para mim se me desse um feedback bem claro sobre meu progresso. Falou que isso me ajudaria a ser bem-sucedido — que eu tinha talento e queria me manter na empresa. Também desejava que eu tivesse prazer em fazer meu trabalho e que com certeza eu seria de grande contribuição para a organização.

— Depois, falou que me faria saber *em termos bem específicos* quando eu estava me saindo bem ou não. Alertou-me que no início talvez não fosse uma situação muito agradável para nós dois.

— Por quê?

— Porque, como ele explicou, a maioria dos gerentes não lidera dessa maneira. Ele me garantiu que, se ser bem-sucedido em meu trabalho era importante para mim, eu logo me convenceria de que o feedback é uma ferramenta de valor inestimável.

— Você pode me dar um exemplo do que está falando?

— Claro! — respondeu Paul. — Quando comecei a trabalhar aqui, notei que depois de meu gerente e eu estabelecermos nossos Objetivos-Minuto, ele sempre se mantinha em contato.
— E como ele fazia isso?
— De duas maneiras. Primeiro, observava minhas atividades. Mesmo distante, analisava os dados que eu enviava e que mostravam o que eu estava fazendo. Segundo, exigia que eu mandasse relatos sobre meu progresso.
— E como você se sentia diante dessa marcação cerrada?
— No começo, era algo que me perturbava. Depois lembrei que de início ele dissera que ficaria me vigiando para me flagrar fazendo alguma coisa certa.
— Flagrar fazendo alguma coisa *certa*?
— Sim. Temos um ditado aqui que todos os gerentes levam a sério.

*

*Ajude as pessoas
a alcançarem todo o
seu potencial.*

*Flagre-as fazendo
alguma coisa certa.*

*

O rapaz nunca ouvira falar de um gerente que agisse assim, mesmo depois de ter conversado com muitos deles.

Paul continuou:

— Veja bem, na maioria das organizações, os gerentes passam a maior parte do tempo tentando flagrar as pessoas fazendo o quê?

O rapaz sorriu lembrando-se de sua experiência.

— Fazendo alguma coisa errada.

— Exato! — Paul sorriu. — Aqui, colocamos a ênfase no positivo flagrando as pessoas fazendo algo certo, ainda mais quando começam uma nova tarefa.

O rapaz fez algumas anotações, depois ergueu os olhos e perguntou:

— Então, o que acontece quando ele flagra a pessoa fazendo alguma coisa certa?

— É nessa hora que ele faz um Elogio-Minuto! — exclamou Paul com satisfação evidente.

— E o que isso significa?

— Quando ele percebe que você fez algo certo, explica exatamente o que foi e como ele está satisfeito com isso.

"O gerente faz uma pausa para você sentir essa satisfação, depois reforça o elogio, incentivando-o a continuar a fazer o bom trabalho."

— Acho que nunca ouvi falar de um gerente agindo dessa forma — comentou o rapaz. — Deve causar uma grande satisfação.

— Com certeza, e por vários motivos. Primeiro, ganhamos um elogio logo depois de fazer alguma coisa certa. — Paul inclinou-se para a frente e confidenciou: — Não preciso ficar esperando por uma reunião de avaliação de desempenho, se é que você me entende.

— Entendo bem — disse o rapaz. — É horrível ter de esperar para saber como a gente está se saindo.

— Concordo inteiramente. Em segundo lugar, como ele especifica exatamente o que fiz certo, sei que está sendo sincero, porque conhece bem o andamento da tarefa. Em terceiro lugar, ele é consistente.

— Consistente? — repetiu o rapaz.

— Sim. Ele me elogia quando estou fazendo um bom trabalho e mereço ser elogiado, mesmo que as coisas não estejam indo bem em sua vida pessoal ou aqui na organização. Sei que talvez esteja irritado com algo que está se passando em outro lugar, mas ele reage ao que estou fazendo e ao que está se passando comigo, e não ao que está acontecendo com ele. Gosto demais disso.

O Segundo Segredo: Elogios-Minuto | 49

— E todos esses elogios não consomem demais o tempo do gerente?

— Não. Lembre-se, não é preciso fazer um elogio demorado para que a pessoa sinta que seu trabalho é supervisionado. Em geral, leva menos de um minuto.

— Ah, então é por isso que se chama Elogio-Minuto?

— É.

— Então, o gerente está sempre tentando flagrar você fazendo o que é certo?

— Não, claro que não — respondeu Paul. — Isso acontece mais no começo, quando a gente chega para trabalhar aqui e quando vai dar início a um novo projeto ou a uma nova responsabilidade. Depois que aprendemos o funcionamento, sabemos que ele confia em nós, porque já não o vemos com frequência.

— Verdade? Não é meio estranho, depois de tanta atenção?

— Não, não, porque existem outros meios de saber quando seu trabalho é digno de elogios. Por exemplo, revendo os dados que foram postados: volume de vendas, despesas, cronogramas de produção etc.

"Com o tempo, começamos a nos flagrar fazendo as coisas certas e a fazer elogios a nós mesmos. Ficamos imaginando quando o gerente vai nos elogiar de novo, o que às vezes ele faz. Isso nos faz manter o ritmo do trabalho, mesmo quando ele não está por perto. É engraçado. Nunca trabalhei tanto na vida. E nunca com tanta satisfação."

— Qual é sua explicação para isso?

— Bem, sei que, quando recebo um elogio, é porque *mereci*. Isso aumenta a autoconfiança, o que é extremamente importante.

— Por que você pensa que é tão importante?

— Porque a autoconfiança que é *conquistada* nos ajuda a lidar com todas as transformações que estão ocorrendo. Espera-se que sejamos suficientemente confiantes para inovar com o objetivo de nos mantermos na vanguarda.

— É por isso que seu gerente lhe dá a oportunidade de resolver os problemas sozinho, em vez de ter de participar de suas decisões?

— Exatamente. Além disso, essa iniciativa economiza o tempo do chefe. Eu faço o mesmo com minha equipe, para eles mesmos aumentarem sua competência.

— Estou começando a perceber um sistema de trabalho. Você faz a ligação entre os Objetivos-Minuto e os Elogios-Minuto, o que extrai o melhor das pessoas.

— Isso mesmo.

— Você me concede alguns minutos para fazer anotações sobre o uso dos Elogios-Minuto?

— É claro — disse Paul.

O rapaz escreveu:

Elogios-Minuto: sumário | 51

 **UM ELOGIO-MINUTO FUNCIONA BEM QUANDO VOCÊ:**

A PRIMEIRA METADE DO MINUTO

1. Elogia as pessoas logo que possível.

2. Faz as pessoas saberem o que fizeram certo — seja específico.

3. Diz às pessoas como você fica satisfeito com o que elas fizeram certo e como isso é benéfico.

PAUSA

4. Faz uma pausa para as pessoas se sentirem bem com o que fizeram.

A OUTRA METADE DO MINUTO

5. Incentiva as pessoas a continuarem agindo da mesma forma.

6. Deixa claro que confia nelas e torce para o seu sucesso.

O rapaz terminou de escrever e perguntou:

— Então, se os Objetivos-Minuto e os Elogios-Minuto são o Primeiro e o Segundo Segredos, posso perguntar qual é o Terceiro?

Paul levantou-se da cadeira.

— Talvez seja melhor perguntar a Jon Levy. Soube que você está planejando falar com ele depois da nossa conversa.

— Sim, é o que pretendo. Gostaria de agradecer pelo tempo que me dedicou.

— Tudo bem. Hoje em dia, tenho bastante tempo. Sabe, estou me tornando um Novo Gerente-Minuto.

O rapaz concordou. Não era a primeira vez que ouvira alguém dizer isso naquela empresa.

Saiu do prédio e foi caminhar entre as árvores da praça para pensar no que estava descobrindo.

Estava cada vez mais impressionado pela sensatez e simplicidade do que ouvira. "Como alguém pode se opor à eficácia de flagrar as pessoas fazendo as coisas certas?" O jovem pensou. "Não é o que todos gostariam de vivenciar?"

"Mas será que os Elogios-Minuto realmente funcionam? Será que esse negócio de Gerência-Minuto gera os resultados excepcionais que eles alardeiam?"

Enquanto caminhava, sua curiosidade sobre os resultados aumentava. Por isso, foi até a assistente do gerente e perguntou se seria possível remarcar sua entrevista com Jon Levy para a manhã seguinte. Explicou que, antes de conversar com Jon, queria falar com alguém que pudesse fornecer informações sobre todas as divisões da companhia.

— Jon falou que amanhã está ótimo — disse Courtney, enquanto desligava o telefone.

Depois, ligou para a central e marcou a entrevista que o rapaz requisitara.

— Você vai falar com Liz Aquino. Tenho certeza de que ela poderá fornecer as informações que você está procurando.

Ele agradeceu e, como estava com fome, atravessou a rua para comer algo e se preparar para seu próximo encontro.

DEPOIS do almoço, o rapaz foi para o centro da cidade e encontrou-se com Liz Aquino. Depois de uma conversa cordial sobre o motivo de estar ali, resolveu não perder mais tempo e foi logo perguntando:
— Com base em seus dados, qual de suas operações é melhor administrada?

Um minuto depois, ele riu enquanto ouvia Liz dizer:
— Você não precisa procurar muito longe, porque é a administrada pelo Novo Gerente-Minuto. Essa operação é a mais eficiente e eficaz de todas as nossas divisões — e tem sido assim há anos. Não importa quanto as coisas mudem, ele se adapta. É um sujeito e tanto, não acha?

— É um cara notável — respondeu o rapaz. — Então é porque ele dispõe do melhor equipamento e tecnologia?

— Não. Na verdade, ele tem alguns dos equipamentos mais antigos.

— Bem, ele não pode ser perfeito — disse o rapaz, ainda impressionado com o estilo do Novo Gerente-Minuto. — Ele tem muita rotatividade?

— Pensando bem, ele tem bastante rotatividade. As pessoas saem de sua divisão.

— Aha! — exclamou o jovem, pensando que finalmente encontrara um defeito.

— O que acontece depois que elas saem da divisão do Novo Gerente-Minuto? — Perguntou o rapaz.

— Em geral, recebem suas próprias operações — respondeu Liz. — Ele é nosso melhor treinador de pessoas. Sempre que temos uma vaga e precisamos de um bom gerente, nós o chamamos. Há sempre alguém pronto para assumir o cargo.

Fascinado, o jovem agradeceu a Liz pelo tempo que ela lhe concedera e dessa vez teve uma resposta diferente.

— Foi bom eu conseguir encaixá-lo hoje. O resto da semana está atulhado. Gostaria de saber como ele consegue tudo isso. Estou sempre pensando em ir lá conversar com ele, mas simplesmente não tenho tempo.

Sorrindo, o rapaz brincou:

— Eu lhe darei os segredos que ele usa como presente, quando decifrá-los. Exatamente como ele está fazendo comigo.

— Sem dúvida, será um presente precioso — Liz deu uma risada. — Passou os olhos pela sala cheia e desorganizada e suspirou: — Eu aceitaria qualquer ajuda que pudesse conseguir.

O rapaz deixou o escritório de Liz e saiu do prédio balançando a cabeça. O gerente o deixava absolutamente fascinado.

Naquela noite, o rapaz teve um sono inquieto, pensando no dia seguinte — quando iria aprender o Terceiro Segredo.

NA manhã seguinte, o rapaz chegou à sala de Jon Levy às 9 horas em ponto. Ouviu a frase rotineira: "Ele é um sujeito e tanto", mas agora estava chegando ao ponto em que podia dizer com toda sinceridade: "Sim, é verdade!"

— Ele é impressionante — disse Jon. — É veterano, tem muitos anos no ramo de negócios, mas muda com a passagem do tempo. Ele mantém as coisas sempre novas e atuais. Evoluiu muito e está cada vez mais perspicaz.

Jon prosseguiu, e seu orgulho era nítido.

— Uma das coisas mais notáveis que hoje em dia ele faz de forma diferente é como reage quando cometemos algum erro.

— Quando vocês fazem algo de errado? Pensei que houvesse um lema nesta companhia, do tipo: *Flagre as pessoas fazendo alguma coisa certa.*

— E é mesmo — disse Jon —, mas...

"Você precisa saber que trabalho aqui há muito tempo e conheço essa operação como a palma da minha mão. Por isso, o gerente não precisa passar muito tempo comigo falando sobre Objetivos-Minuto ou Elogios-Minuto. De fato, em geral escrevo meus objetivos antes de me encontrar com ele. Daí nós dois os examinamos."

— Você escreve cada objetivo em uma folha separada?

— Sim. Não mais do que um ou dois parágrafos, o que leva apenas um minuto para revisar.

"Adoro meu trabalho e sou bom nisso. Aprendi a fazer elogios a mim mesmo. De fato, acredito que, se não cuidarmos de nós mesmos, quem vai cuidar? — e acrescentou: — Mas eu também me elogio pelos *outros*."

— Quer dizer que seu gerente não o elogia?

— Às vezes. Nem sempre, porque sou mais rápido do que ele. Quando faço algo especialmente bem, posso até pedir um elogio.

— Onde você arranja essa coragem? — O rapaz estava estupefato.

— É como fazer uma aposta na qual posso ganhar ou empatar. Se ele me fizer o elogio, eu ganho. Mas, se não fizer, eu nem ganho nem perco. Afinal, não tinha recebido nada antes de pedir.

— Gostei dessa ideia. — O jovem sorriu. — Mas o que acontece se alguma coisa sair errado?

— Bem, erros acontecem. Se eu ou alguém da minha equipe cometemos um erro significativo, posso receber um Redirecionamento-Minuto.

— Um o quê?

— Um Redirecionamento-Minuto. É a *nova* versão do importante Terceiro Segredo — explicou Jon, e acrescentou: — Elogiar pessoas nem sempre funciona se não for combinado com Redirecionamentos-Minuto, que servem para corrigir erros à medida que vão ocorrendo.

"Embora eu nem sempre goste de ver gente apontando meus erros, um redirecionamento pode me ajudar a voltar para o caminho certo e alcançar meus objetivos. Isso ajuda tanto a mim quanto a organização a sermos bem-sucedidos.

"Quando éramos uma companhia com hierarquia muito formal, esse Terceiro Segredo era chamado de Repreensão-Minuto, o que era eficaz naquela época. Porém, o Novo Gerente-Minuto reformulou esse conceito quando as coisas mudaram."

— Reformulou?

— Sim. Hoje em dia, precisamos fazer as coisas acontecerem mais *rápido* e com menos recursos. Além disso, as pessoas querem encontrar mais satisfação e significado em seu trabalho.

— É verdade.

— Nos dias de hoje, todos precisam ser aprendizes, porque as coisas não param de mudar. Mesmo que eu seja um expert, nada impede que no dia seguinte minha área seja eliminada. Um Redirecionamento-Minuto me ajuda a aprender, porque pode me fazer ver o que preciso fazer de maneira diferente.

O Terceiro Segredo: Redirecionamentos-Minuto | 59

O rapaz perguntou:
— E como funciona?
— É simples — disse Jon.
— Eu adivinhei que você diria isso.

Jon riu e continuou:
— Se cometo um erro, meu gerente reage sem demora.
— O que ele faz?
— Primeiro, se certifica de que o objetivo estava estabelecido de forma bem clara para nós. Se não, assume a responsabilidade e esclarece o objetivo.

"Depois, me fornece um Redirecionamento-Minuto dividido em duas partes. Na primeira metade, se concentra no meu erro. Na segunda, se concentra em mim."
— Em que momento ele faz isso?
— Assim que toma conhecimento do erro. Confirma os fatos comigo e juntos revisamos o que deu errado. Ele é muito específico
— Imagino...
— Depois, me conta como se *sente* com o erro e seu possível impacto em nossos resultados, às vezes em termos bem claros e francos.

"Assim que termina de me dizer como se sente, ele se mantém calado por alguns segundos, para eu digerir o redirecionamento. Sabe, acaba que esse silêncio, essa pausa se mostra de uma importância surpreendente."
— Por quê?

— Porque uma pausa me dá tempo de ficar preocupado com meu erro e pensar no impacto que poderia causar em mim e na organização.
— Por quanto tempo ele fica em silêncio?
— Só alguns segundos, mas, para quem está recebendo o redirecionamento, parece uma eternidade.
"Na segunda metade do redirecionamento, ele me lembra de que sou melhor do que meu erro e de que confia em mim. Diz que não espera uma repetição do erro e que continuaremos a trabalhar juntos."
— Tenho a impressão de que o redirecionamento faz você pensar duas vezes sobre o que fez.
Jon balançou a cabeça.
— É verdade.
— Você poderia me contar mais sobre as partes essenciais do uso do Redirecionamento-Minuto?

— Claro. Ele especifica exatamente o que deu errado, assim eu fico sabendo que está bem a par da situação e entendo que não deseja que eu e minha equipe sejamos rotulados como incapazes ou medíocres no trabalho.

"Como ele termina o redirecionamento reafirmando que valoriza a mim e a minha equipe, é mais fácil eu não reagir negativamente ou ficar na defensiva. Não tento racionalizar meu erro jogando a culpa em outra pessoa.

"Naturalmente, ajuda saber que meu gerente vai assumir a responsabilidade se a meta não ficou bem clara para todos. Por isso, sei que ele está sendo justo.

"O redirecionamento é feito em um minuto e, quando acaba, acaba. Mas, se você lembra do que eu disse antes, sobre como ele termina com a declaração de apoio, ficamos ansiosos para voltar ao caminho certo."

— Eu sei do que você está falando — comentou o rapaz. — Receio que tenha perguntado a ele...

Jon o interrompeu:

— Espero que não tenha pedido que ele tomasse uma decisão por você.

— Foi isso mesmo — disse o rapaz, envergonhado.

— Então já sabe um pouco sobre como a gente se sente quando está recebendo um Redirecionamento-Minuto, embora eu suspeite que ele foi mais moderado com você.

"Aqui, sabemos que, se a pessoa ainda não conhece a cultura da companhia, mas precisa de um redirecionamento, ele será bem suave, para ela não ficar desanimada. Nossa meta é desenvolver a autoconfiança nas pessoas para nos ajudarem a obter melhores resultados."

— Pode ter sido um redirecionamento leve — disse o rapaz —, mas acho que nunca mais pedirei a ele para tomar alguma decisão por mim.

"Mas e ele? Nunca comete um erro? Parece que é um sujeito quase perfeito."

— Claro que ele comete erros — Jon riu. — O gerente é humano, afinal. Mas devo dizer que é o primeiro a reconhecê-los.

O rapaz pareceu duvidar.

— Na verdade — Jon riu de novo —, ele até nos incentiva a falar, se notamos que está errado em alguma coisa. Não acontece com frequência, mas ele diz que isso o ajuda a prevenir um erro que poderá repetir no futuro. Esse é um dos muitos motivos que nos fazem gostar tanto de trabalhar com ele.

"Às vezes, o gerente é ríspido, mas tem um bom senso de humor. Isso ajuda.

"Por exemplo, ele é ótimo para descobrir meus erros, mas às vezes se esquece de me dar a segunda metade do redirecionamento."

— A parte em que o elogia como pessoa?

— Sim. Mas, quando esquece, eu o lembro e caçoo dele.

— Você tem coragem para isso?

— Bem, em geral, levo algum tempo para entender o que fiz de errado e penso no que preciso mudar.

"Há alguns dias, liguei para dizer que sabia onde havia errado e que não deixaria acontecer de novo. Depois, dei uma risada e falei que gostaria muito de ouvir a parte do redirecionamento que apoia e motiva o colaborador, que ele havia esquecido, para eu me sentir melhor."

— E o que *ele* fez?

— Ele riu, pediu desculpas e falou que continua tendo confiança em mim e respeito pelo meu trabalho. Quando desligamos, eu realmente estava me sentindo melhor.

— Estou impressionado com tudo isso.

— Sim, quando um líder mantém seu bom humor, tudo fica melhor para ele e para todos à volta. O gerente nos ensinou a rir de nós mesmos quando cometemos um erro e a nos redimirmos trabalhando melhor.

— Puxa! Como você aprendeu a fazer isso?

— Vendo *o gerente* fazer isso.

O rapaz estava começando a se dar conta de como é valioso ter um líder desse tipo.

E continuou:

— Vejo que o Terceiro Segredo continua no mesmo padrão da Gerência-Minuto. Os objetivos deixam claro em que aspecto é importante nos concentrarmos, os elogios desenvolvem a autoconfiança que nos ajuda a sermos bem-sucedidos, e o redirecionamento trata dos erros. Os três, juntos, ajudam as pessoas a ficarem mais satisfeitas consigo mesmas, produzindo bons resultados.

O rapaz pensou por alguns instantes, então falou:

— E por que o uso de uma combinação de objetivos, elogios e redirecionamentos funciona tão bem?

— É melhor você fazer essa pergunta ao nosso Novo Gerente-Minuto — disse Jon, enquanto se levantava da cadeira para acompanhar o rapaz até a porta.

O jovem agradeceu pelo tempo que Jon lhe concedera.

O homem sorriu:

— Você já sabe qual é minha resposta a respeito de tempo, não é?

Os dois riram. O rapaz estava começando a se sentir parte da organização, em vez de ser apenas um visitante, e isso o fez se sentir bem.

Assim que estava no corredor, reparou na quantidade de informações que Jon lhe dera no pouco tempo que haviam passado juntos.

Tomou notas para se lembrar de como usar o Redirecionamento-Minuto quando alguém cometer um erro.

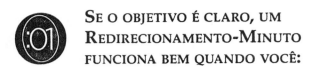

SE O OBJETIVO É CLARO, UM REDIRECIONAMENTO-MINUTO FUNCIONA BEM QUANDO VOCÊ:

A PRIMEIRA METADE DO MINUTO

1. Redireciona as pessoas o mais rápido possível.

2. Confirma os fatos e revisa o erro cometido junto com os outros — seja específico.

3. Deixa claro como você se *sente* sobre o erro e seu impacto sobre os resultados.

PAUSA

4. Fica em silêncio por um instante, para que as pessoas tenham tempo de se sentirem preocupadas com o que fizeram.

A SEGUNDA METADE DO MINUTO

5. Lembra-se de informá-las de que elas são melhores do que o erro que cometeram e que você tem uma boa impressão delas como pessoas.

6. Lembra-as de que você confia nelas, respeita seu trabalho e torce para atingirem o sucesso.

7. Está consciente de que, quando o Redirecionamento acabou, acabou de vez.

Se não tivesse experimentado o efeito do Redirecionamento-Minuto na própria pele, o rapaz poderia duvidar da eficácia. Apesar de agora saber que seu redirecionamento fora suave, também sabia que não pretendia ouvi-lo de novo. Entretanto, todos cometem erros, e o rapaz sabia que, se um dia trabalhasse para um gerente desse tipo e cometesse um erro importante, receberia um redirecionamento muito mais forte. Porém, isso não o preocupava, porque tinha certeza de que o gerente seria justo.

Enquanto se dirigia para a sala dele, ainda pensava sobre o poder surpreendente da Gerência-Minuto e como fora aprimorada para um mundo em constante mudança.

Os Três Segredos pareciam ter lógica, mas por que funcionam?, perguntou-se o rapaz.

E por que o Novo Gerente-Minuto ainda é o gerente mais produtivo e admirado da empresa?

Q UANDO o rapaz chegou à sala do gerente, Courtney disse:

— Ele andou perguntando quando você voltaria para vê-lo.

Ao entrar no escritório, ele notou mais uma vez como o ambiente era claro e organizado.

O gerente o cumprimentou com um sorriso simpático:

— O que descobriu em suas andanças?

— Muito!

— Conte-me.

— Descobri por que o senhor é chamado de o Novo Gerente-Minuto. É porque está sempre adaptando seus Três Segredos. O senhor e sua equipe estabelecem Objetivos-Minuto juntos, para garantir que todos saibam pelo que estão assumindo a responsabilidade e o que é considerado um bom desempenho.

— Exato.

— A seguir, o senhor flagra alguém fazendo algo certo e faz um Elogio-Minuto.
— Sim.
— E, quando nota que as pessoas cometeram um erro, oferece um Redirecionamento-Minuto.
— E o que você pensa de tudo isso?
— Estou surpreso em ver como é um processo rápido e, mesmo assim, parece funcionar.

O jovem hesitou, então disse:
— Espero não estar sendo grosseiro com essa pergunta, mas o senhor realmente acha que basta um minuto para fazer tudo que precisa como gerente?

O gerente deu uma boa risada.

— Claro que não, mas é um modo de fazer uma tarefa complicada ficar mais fácil de gerenciar. Com frequência, basta um minuto para voltar a me concentrar nos objetivos e dar às pessoas um importante feedback sobre como estão se saindo.

"O uso dos Três Segredos provavelmente representa apenas 20% das atividades nas quais estamos envolvidos, mas nos ajuda a alcançar 80% do resultado que estamos esperando. É a velha lei dos 80/20."

Então o gerente perguntou:

— O que mais você descobriu?

— Bem, as pessoas gostam de trabalhar aqui, e o senhor colabora com cada uma delas para obter grandes resultados. Estou convencido de que os Três Segredos também funcionam para o senhor.

— E, se os usar, também funcionarão para você.

— Talvez, mas penso que a probabilidade de usá-los seria maior se eu pudesse entender mais sobre *por que* eles funcionam.

— Claro. Isso vale para todos, meu jovem. Quanto mais entendemos *por que* alguma coisa funciona, mais aptos estaremos para usá-la.

"Deixe-me mostrar um dos lembretes que guardo no meu computador."

O rapaz olhou para a tela e leu:

*

*O melhor minuto
que eu gasto é o que
invisto
nas pessoas.*

*

— A ironia é que a maioria das empresas gasta grande parte de seu dinheiro em salários de funcionários, mas despende apenas uma pequena fração de seu orçamento para desenvolver as pessoas. Na verdade, a maioria das companhias gasta mais tempo e dinheiro na manutenção de seus prédios, em tecnologia e equipamentos do que no desenvolvimento de seus funcionários.

— Nunca pensei nesse aspecto — admitiu o rapaz.

— Sim, se são as pessoas que obtêm os resultados, é uma questão de bom senso investir mais nelas.

— Exatamente. — Em seguida, o gerente revelou: — Eu gostaria de ter tido alguém disposto a investir em mim, quando comecei a trabalhar.

— É mesmo?

— Na maioria das empresas em que trabalhei, era comum eu não saber o que deveria estar fazendo. Ninguém se dava ao trabalho de me dizer. Se alguém perguntasse se eu estava fazendo bem as minhas tarefas, eu diria: "Não sei" ou "Acho que sim". Se perguntassem por que eu pensava assim, responderia: "Já faz algum tempo que meu chefe não me dá uma bronca" ou "Sem notícias, boas notícias". Parecia que minha principal motivação era evitar punições.

— Agora entendo por que o senhor gerencia de maneira diferente, mas ainda não tenho certeza do motivo de os Três Segredos serem tão eficazes. Por exemplo, por que o estabelecimento de Objetivos-Minuto funciona?

— Você quer saber por que o estabelecimento de Objetivos-Minuto funciona — ecoou o gerente.

— Muito bem. — Ele se levantou e começou a andar lentamente pela sala.

Depois de alguns segundos, falou:

— Deixe-me fazer uma analogia que poderá ajudar. Já vi um monte de funcionários desmotivados trabalhando nas diversas organizações em que estive empregado ao longo dos anos. No entanto, não vi tantas pessoas desmotivadas após o término do expediente de trabalho.

"Uma noite, há muitos anos, eu estava jogando boliche e vi alguns 'funcionários-problema' da minha organização anterior. Um deles, de quem me lembrava bem, aproximou-se da linha e jogou a bola. Logo ele começou a gritar e pular de um lado para o outro. Por que você acha que o sujeito estava tão feliz?"

— Porque tinha derrubado todos os pinos.

— Exatamente. Por que acha que ele e outras pessoas não têm esse mesmo entusiasmo no trabalho?

O rapaz pensou um pouco.

— Porque não sabem exatamente onde os pinos estão, nem quais pinos pretendem atingir. Entendo. Por quanto tempo gostariam de jogar boliche, se não conseguissem ver os pinos?

— Isso mesmo — concordou o gerente. — Acredito que muitos gerentes partem da hipótese errada de que os membros de sua equipe sabem no que mirar.

"Quando você assume que as pessoas sabem o que é esperado delas, está criando uma forma de jogo de boliche ineficaz. A gente coloca os pinos, mas quando o jogador vai rolar a bola, nota que há um lençol estendido na frente deles. Portanto, quando joga a bola e ela passa embaixo do lençol, a pessoa ouve um barulho, mas não sabe quantos pinos derrubou. Quando perguntado sobre como se saiu, a resposta é: 'Não sei, mas eu gostei.'

"É como jogar golfe à noite. Muitos dos meus amigos desistiram do golfe, e, quando perguntei por quê, responderam: 'Porque os campos estão sempre lotados.'"

"Quando sugeri que jogassem à noite, só ouvi risadas, pois quem conseguiria jogar golfe sem ver onde atirar a bolinha?
"É o mesmo que assistir a esportes de equipes. Quantas pessoas veriam duas equipes competirem, se não houvesse um meio de marcar os pontos?"
— Sim, claro. E por quê? — quis saber o rapaz.
— Porque o motivador número um das pessoas é saber quais foram os resultados. Elas querem saber como estão se saindo. De fato, aqui na empresa existe outro lema: "O feedback é o alimento dos campeões." Sim, saber os resultados do trabalho é o que nos faz avançar.

"Infelizmente, quando alguns gerentes aprendem que o feedback sobre os resultados é o principal motivador das pessoas, eles geralmente inventam uma nova forma de jogar boliche

"Quando o jogador vai para a linha jogar a bola, os pinos estão todos em pé e o lençol continua no lugar, mas agora há outro ingrediente na competição — um supervisor atrás do lençol. Quando o jogador rola a bola, ouve o barulho dos pinos caindo, e o supervisor levanta dois dedos para indicar que dois deles foram derrubados. Você acha que a maioria dos gerentes diz: 'Você acertou dois?'"

— Nada disso. — O rapaz deu uma risada. — Em geral, dizem "Você errou oito".

— Isso mesmo! — A pergunta que eu sempre fazia era: "Por que o gerente não levantava o lençol para ambos poderem ver os pinos?" A resposta era que a grande tradição do mundo dos negócios era fazer uma avaliação de desempenho, o que estava prestes a acontecer.

— Porque logo haveria uma avaliação de desempenho? — deduziu o rapaz, incrédulo.

— Diga-me — falou o gerente —, não é verdade que a maioria das pessoas não sabe como estão se saindo até passarem pela avaliação de desempenho e ficarem sabendo de todas as coisas que não fizeram certo?

"E depois, quando a pessoa é comunicada de que não está sendo considerada para uma promoção ou gratificação, como irá se sentir? Quanto tempo passará antes de ela começar a pensar que preferiria trabalhar em outro lugar?"

— Eu sei a resposta. Um minuto! — brincou o rapaz.

O gerente soltou uma gargalhada. O jovem continuou:

— Por que o senhor acredita que gerentes fariam alguém passar por uma situação como essa?

— Para causarem uma boa impressão e se sentirem bem.

— O que isso significa?

— Como você acha que seria visto por seu chefe se classificasse todos que se reportam a você no nível mais alto de sua escala de avaliação de desempenho?

— Provavelmente, seria considerado um frouxo, alguém incapaz de distinguir entre um desempenho bom e um ruim.

— Exatamente. Para ser considerado um bom gerente na maioria das organizações, você precisa flagrar alguns de seus subordinados fazendo coisas erradas. É necessário ter alguns vencedores, alguns perdedores e todo o resto no meio.

"Uma vez, fui à escola do meu filho e observei uma professora do quinto ano aplicando um teste de geografia. Quando perguntei por que não permitia que os alunos consultassem mapas durante a prova, ela respondeu: 'Não poderia deixar, porque todos os garotos tirariam a nota máxima.' Como se fosse ruim todos se saírem bem e tirarem nota 10.

"Talvez nem todos sejam capazes de fazer um ótimo trabalho usando os recursos à sua disposição, então podem não obter nota 10, mas por que não organizar tudo de modo que todos tenham a oportunidade de ser vencedores?"

Por que os Objetivos-Minuto funcionam | 79

O gerente continuou:

— Lembro-me de ter lido uma vez que, na época em que praticamente todos sabiam o número de seu próprio telefone de cor, alguém perguntou ao gênio Albert Einstein qual era o número de sua casa, e ele foi pegar a lista telefônica para consultar.

"Ele explicou que não entulhava a mente com informações que poderia encontrar em outro lugar.

"O que você pensaria de alguém que, naquela época, precisasse procurar o próprio número na lista telefônica? Seria um vencedor ou um perdedor?"

O rapaz sorriu e falou:

— Provavelmente, um perdedor.

— Claro, eu pensaria o mesmo. Mas nós dois estaríamos redondamente enganados, não é mesmo?

O jovem assentiu.

— É fácil cometer esse tipo de erro — disse o gerente. Depois virou-se e mostrou alguma coisa escrita no computador. — Veja isto.

*

*Todos são
vencedores em potencial.*

*Algumas pessoas
estão disfarçadas
de perdedores.*

*Não deixe que
as aparências o enganem.*

*

— Veja bem — disse o gerente —, na verdade, você tem três opções como gerente. Em primeiro lugar, pode contratar vencedores. São difíceis de encontrar e custam muito dinheiro. Segundo, se não conseguir encontrar um vencedor, pode contratar alguém com potencial para ser vencedor. Então, terá que trabalhar sistematicamente com essa pessoa para ajudá-la a se tornar uma vencedora.

"Se você não estiver disposto a recorrer a uma dessas opções, e sempre fico chocado com o número de gerentes que se recusam a gastar dinheiro para contratar um vencedor ou gastar tempo para desenvolver alguém para se tornar um vencedor, só resta uma terceira escolha: rezar."

O rapaz sentiu um arrepio.

— Rezar?

O gerente riu baixinho.

— Foi só uma tentativa de piada, meu jovem. Mas, pensando bem, há muitos gerentes que oram diariamente, dizendo: "Por favor, faça essa pessoa dar certo."

O rapaz soltou uma boa risada.

— Para quem contrata um vencedor, é fácil ser um Gerente-Minuto, não é?

— Claro — sorriu o gerente. — Tudo o que é preciso fazer com vencedores é determinar os Objetivos-Minuto e deixar a bola com eles.

— Pelo que Jon Levy me contou, o senhor quase nem precisa fazer isso com ele.

— Isso mesmo — disse o gerente. — Ele já se esqueceu de que mais da maioria das pessoas sabe disso por aqui. Mas com todos, vencedores ou vencedores em potencial, os Objetivos-Minuto são a ferramenta básica para gerar comportamento produtivo.

— É verdade que, seja quem for que comece a estabelecer os Objetivos-Minuto, cada um deles sempre tem que ser descrito em uma única página, incluindo o prazo de entrega?

— Sim.

— E por quê?

— Para todos conseguirem revisar suas metas diariamente e comparar com o andamento de seu desempenho.

— Pelo que entendi, o senhor manda os colaboradores escreverem só os objetivos e responsabilidades principais, e não todos os aspectos do trabalho.

— Sim. É porque não quero um monte de objetivos arquivados num canto qualquer e olhados só uma vez por ano, quando for feita a avaliação de desempenho, ou na hora de estabelecer os objetivos do ano seguinte.

"Como você deve ter notado, as pessoas de nossa equipe mantêm este valioso lembrete por perto." — Ele entregou ao rapaz um cartão, no qual se lia:

Reserve um minuto para ler seus objetivos.

Depois, examine o que você está fazendo.

Verifique se está de acordo com seus objetivos.

O rapaz surpreendeu-se com a simplicidade poderosa daquelas palavras.

— Posso ficar com uma cópia?

— Claro.

Enquanto o jovem aspirante a gerente anotava o que estava aprendendo, disse:

— O senhor sabe que é difícil captar tudo o que é necessário para aprender sobre a Gerência Minuto em tão pouco tempo.

— Sem dúvida.

— Com certeza, há muito mais que gostaria de saber sobre os Objetivos-Minuto, mas poderíamos ir em frente e conversar sobre os Elogios-Minuto?

— Sem problema. Imagino que esteja se perguntando por que eles também funcionam.

— Bem, creio que todos gostam de ser elogiados, mas, depois de algum tempo, as pessoas não começam a sentir que são falsos elogios?

O gerente falou:

— Depende se o elogio for merecido e sincero.

— Vamos ver alguns exemplos, e talvez fique mais claro por que os Elogios-Minuto funcionam tão bem.

— Gostaria muito de saber.

— Um exemplo é quando os pais ajudam as crianças a aprender a andar. Você consegue imaginar os pais dizendo a um bebê que ficou em pé pela primeira vez: "Anda!" E, quando ele cai, os pais o pegam com raiva, dão umas palmadas e gritam: "Eu mandei você andar!"?

"Em vez disso, eles ajudam a criança a ficar em pé. No primeiro dia ela cambaleia e eles festejam, dizendo: 'Ele ficou em pé, ele ficou!' e abraçam e beijam o filho.

"No dia seguinte, o bebê fica em pé por algum tempo e talvez tente dar um passo, e os pais voltam a enchê-lo de beijos e abraços.

"Por fim, a criança, percebendo que é vantajoso começa a ficar mais e mais em pé, até andar.

"O mesmo vale para ensinar uma criança a falar. Suponha que você gostaria que ela dissesse: 'Me dê um copo de água, por favor.' Se ficasse esperando a criança falar a sentença completa antes de ganhar um pouco de água, ela morreria de sede.

"Então, você precisa começar com 'Água, Água', até que um dia, de repente, ela fala: 'Uaua, uaua!' E você pula de alegria, beija e abraça a criança, liga para a vovó para ela ouvir a criança dizer 'Uaua, uaua'. Claro, não foi 'água', mas chegou perto.

"Mas ninguém quer ver o filho de 25 anos entrando num restaurante e pedir um copo de 'uaua'; por isso, depois de algumas vezes, você começa a aceitar só a palavra 'água', e depois passa para o 'por favor'.

"Esses exemplos ilustram que a coisa mais importante e natural para ajudar as pessoas a se transformarem em vencedores é flagrá-las fazendo algo *mais ou menos* certo no começo e pouco a pouco progredirmos para o resultado desejado."

— Portanto, a chave, no começo — disse o aprendiz —, é flagrar alguém fazendo algo mais ou menos certo até finalmente ele conseguir fazer a coisa certa.

— Sim, é isso! — disse o gerente. — Estabelecendo uma série de objetivos intermediários, estamos lidando com alvos que serão atingidos com mais facilidade.

"No trabalho, e também na vida, não temos de flagrar um vencedor fazendo coisas certas frequentemente, porque ele *sabe* que está agindo corretamente e faz seu próprio elogio. Porém, os que estão aprendendo se beneficiam com incentivos e elogios vindos de outras pessoas."

— Então é por isso que o senhor observa muito de perto os novos funcionários ou os mais experientes, quando estão começando um novo projeto?

— Sim. A maioria dos gerentes espera até seus colaboradores fazerem alguma coisa perfeitamente certa antes de elogiá-los. Com isso, muitas pessoas nunca se tornam funcionários eficientes, porque seus gerentes se concentram em flagrá-los fazendo coisas erradas, ou seja, qualquer coisa que não chega a alcançar o desempenho final desejado.

— Isso não me parece muito eficaz — comentou o rapaz.

— E não é mesmo — concordou o gerente.

"É triste, mas um número grande demais de organizações age dessa forma com funcionários novos e inexperientes. Dão-lhes as boas-vindas, levam-nos para apresentar todos os que serão seus colegas e depois os deixam sozinhos. Não apenas perdem a oportunidade de flagrá-los fazendo alguma coisa aproximadamente certa, mas periodicamente dão uma bronca só para mantê-los trabalhando.

"Esse estilo de gerenciamento vem sendo utilizado há muito tempo. Eu o chamo de estilo largar o sujeito sozinho. Deixam as pessoas sós, esperando um bom desempenho, e, quando ele não ocorre, recebem uma bronca."

— O que acontece com elas? — quis saber o rapaz, intrigado.

— Se você já passou por várias organizações e, pelo que me contou, já visitou muitas, está a par da situação. Elas fazem o mínimo possível.

— O senhor está 100% correto. — O rapaz riu. — Vi muito isso.

Depois, acrescentou:

— Trabalhando com esse tipo de gerente, dá para entender por que tantas pessoas não encontram satisfação no trabalho.

— É a pura verdade — concordou o gerente. — O pior é que elas não se envolvem plenamente no trabalho que estão fazendo, nem estão muito interessadas em ter um bom desempenho.

— Estou começando a entender por que os Elogios-Minuto parecem funcionar tão bem — disse o rapaz.

— Com certeza, é muito melhor do que focar a atenção apenas no que está errado.

"É engraçado, mas isso me lembra um casal amigo meu. Eles me contaram que tinham arranjado um filhote de cachorro e estavam com dificuldade de ensiná-lo a não fazer as necessidades em casa. Mas finalmente tinham tido uma ótima ideia."

— Tenho quase medo de perguntar — disse o gerente. — Como iam colocá-la em prática?

— Disseram que, se o cãozinho tivesse um acidente no tapete, iriam pegá-lo, esfregar seu focinho no cocô, bater em seu traseiro com um jornal enrolado e atirá-lo no quintal pela janela da cozinha para que o animal aprendesse onde deveria fazer suas necessidades.

O gerente deu uma boa risada.

— Quando me perguntaram se esse método daria certo, pensei no que iria acontecer e comecei a rir, porque já sabia. "Depois de uns três dias, o cachorrinho fez cocô no chão da sala e saltou pela janela. Não sabia como agir, mas sabia que seria melhor para ele sumir do pedaço."

O gerente soltou uma gargalhada, mostrando sua aprovação.

— Grande história! O castigo não funciona quando é usado para ensinar quem está aprendendo.

Ele prosseguiu:

— Em vez de punir pessoas inexperientes, que ainda estão aprendendo, precisamos redirecioná-las para o caminho certo. Para isso, temos de restabelecer os Objetivos-Minuto com toda a clareza para nos certificarmos de que entendam o que é esperado delas e mostrar o que é um bom desempenho.

— Então, depois disso, o senhor tenta flagrá-las fazendo alguma coisa mais ou menos certa?

— Exatamente — disse o gerente. — No início, estamos sempre tentando identificar situações nas quais é possível fazer um verdadeiro Elogio-Minuto. Depois, olhando nos olhos do rapaz, o gerente continuou:

— Você é um aluno muito entusiasmado e receptivo, o que faz me sentir bem em compartilhar os Segredos da Gerência-Minuto com você.

Os dois sorriram. Ambos sabiam o que era um Elogio-Minuto quando ouviam um.

— Eu gostaria muito mais de ouvir um elogio do que um redirecionamento — falou o rapaz. — Mas agora compreendo por que os Objetivos-Minuto e os Elogios-Minuto funcionam. São puro bom senso.

Depois prosseguiu:

— Mas por que os Redirecionamentos-Minuto funcionam?

O GERENTE explicou:
— Existem vários motivos para os Redirecionamentos-Minuto funcionarem tão bem. Para começar, o feedback acontece em doses pequenas, porque o erro é apanhado bem no início.

"Muitos gerentes atrasam seus feedbacks. Eles armazenam as observações de mau desempenho até a frustração crescer.

"Quando chega o momento da avaliação de desempenho, esses gerentes estão furiosos, porque acumularam queixas até transbordarem. Então, abrem as comportas e derramam tudo ao mesmo tempo.

"Eles apontam cada coisa errada que seus colaboradores fizeram ao longo das várias últimas semanas, ou meses, ou mais.

"Não é justo acumular sentimentos negativos sobre o mau desempenho do seu pessoal, e isso é totalmente ineficaz."

O jovem suspirou.

— Nada mais verdadeiro. E isso muitas vezes também acontece em casa, nas famílias.

— Sim. Alguns pais e cônjuges costumam agir desse jeito e obtêm os mesmos maus resultados.

O gerente continuou:

— O que acontece é que as pessoas em geral terminam discordando sobre os fatos ou apenas ficam caladas e ressentidas. É comum a pessoa que recebe o feedback também entrar na defensiva e não assumir o erro.

"Podemos dizer que essa é outra versão do método largar o sujeito sozinho de comunicação.

"Se os gerentes enfrentassem cada situação de trabalho mais cedo, poderiam lidar com um comportamento por vez, e o funcionário não ficaria sobrecarregado. Haveria uma probabilidade maior de ele aceitar o feedback e tentar corrigir as coisas no momento. É por isso que creio que a avaliação do desempenho deve ser um processo contínuo, e não algo que acontece apenas uma vez por ano."

— Agora vejo que, quando o gerente trata com justiça e clareza um comportamento por vez, a pessoa que recebe o Redirecionamento-Minuto presta a devida atenção.

— Sim. Você quer se livrar do mau comportamento, mas manter o funcionário, então não ataca a pessoa só porque ela cometeu um erro.

— É por isso que o senhor faz questão de elogiar na segunda metade do redirecionamento?

— Sim. A ideia não é denegrir as pessoas, mas incentivá-las a crescer.

"Quando a autoestima está sob ataque, sentimos a necessidade de defender a nós mesmos e as nossas ações, mesmo que seja preciso distorcer os fatos.

"Quando uma pessoa entra na defensiva, ela não aprende.

"Por isso, é preciso haver separação entre o comportamento e o valor da pessoa. Elogiar o colaborador, reafirmar sua dignidade depois de ter tratado do erro cometido, concentra a queixa em seu comportamento, em vez de atacá-lo em nível pessoal.

"Quando nos afastamos, queremos que a pessoa esteja consciente do erro cometido e preocupada com o que fez, em vez de virar-se para um colega de trabalho para contar como foi maltratada e o que pensa do estilo de liderança de seu gerente.

"Se não for assim, a pessoa não assume a responsabilidade pelo erro cometido e o gerente se torna o vilão da história."

O rapaz perguntou:

— Por que o senhor não coloca a parte do elogio do Redirecionamento-Minuto em primeiro lugar, depois faz a crítica?

— Por alguma razão, essa conduta não funciona. Pensando bem, algumas pessoas dizem que sou "bonzinho" e "durão" como gerente. Mas, para ser exato, sou "durão" e "bonzinho".

— Durão e bonzinho?

— Sim, nessa ordem. É uma velha filosofia que funciona bem há milhares de anos. Há uma história chinesa que ilustra essa prática.

"Certo dia, um imperador nomeou uma espécie de primeiro-ministro e lhe disse: 'Seria bom dividirmos as tarefas. Você ficará responsável pelas punições, e eu darei todos os prêmios.' O primeiro-ministro concordou. 'Está combinado. Eu cuidarei das punições e o senhor dará todas as recompensas.'"

— Acho que vou gostar dessa história — disse o rapaz.

— Sem dúvida — disse o Gerente-Minuto com um sorriso de quem sabia das coisas, e continuou: — Bem, o imperador logo notou que, sempre que ordenava que alguém fizesse alguma coisa, a ordem poderia ser cumprida ou não. No entanto, quando o primeiro-ministro falava, todos corriam para atendê-lo.

"Então o imperador mandou chamar o primeiro-ministro e disse:

"'É melhor dividirmos as tarefas de novo. Já faz algum tempo que você está encarregado das punições. Agora, quero cuidar das punições, e você fica com as recompensas.' E os dois trocaram de papel.

"Um mês depois, houve uma revolta. O imperador tinha sido um soberano bonzinho, estava sempre premiando seus súditos e, depois, sem mais nem menos, começara a castigar as pessoas. O povo dizia: 'O que deu na cabeça desse velho esclerosado?' e acabou tirando-o do trono.

"Quando pensaram em procurar um substituto, disseram: 'Sabem quem realmente está pronto para governar? O primeiro-ministro.' Então, fizeram dele o novo imperador."

— É uma história verdadeira? — perguntou o rapaz.

— Quem sabe? — O gerente riu. — Falando sério, o que sei é isso: se você *primeiro* for exigente no comportamento e *depois* oferecer apoio, o resultado é melhor.

— O senhor tem algum exemplo atual de onde o Redirecionamento-Minuto funcionou, fora do ambiente corporativo?

— Tenho, sim. Os treinadores esportivos do mundo inteiro usam o equivalente dos redirecionamentos para melhorar o desempenho de seus atletas. Por exemplo, um conhecido meu, técnico de basquete, me contou que os emprega para criar times vencedores.

— Como assim?

— Ele me disse que uma vez seu melhor jogador estava atuando tão mal num jogo importante que era preciso fazer alguma coisa imediatamente para o time não perder. Então, ele tirou o jogador da quadra e o fez se sentar no banco.

— O *melhor* jogador? — o rapaz se surpreendeu.

"Não foi arriscado tirá-lo de um jogo tão importante?"

— Era o que ele podia fazer. Se o jogador não estivesse dando o seu melhor, o time não venceria, e o campeonato estaria perdido.

"Assim, no momento em que o jogador sentou-se no banco, o treinador disse a ele exatamente o que estava fazendo de errado.

"— Você está errando nos arremessos fáceis, perdendo nos rebotes e está relaxando na defesa. Estou muito bravo com você porque não parece nem mesmo que está tentando dar o melhor de si!

"O treinador esperou por alguns segundos e acrescentou:

"— Você é muito melhor do que isso, e vai ficar no banco até estar pronto para jogar da forma que é capaz.

"Depois do que pareceu uma eternidade, o jogador levantou-se, foi até o técnico e disse:

"— Estou pronto para entrar, treinador.

O técnico respondeu:

"— Então, volte lá e me mostre do que é capaz.

"Quando o jogador voltou para o jogo, parecia que estava se multiplicando na quadra, mergulhando para pegar as bolas soltas, não deixava escapar os rebotes e fazia seus arremessos campeões. Graças a seus esforços, o desempenho do restante do time também melhorou, e eles ganharam o jogo."

— Bem — disse o rapaz —, basicamente, o técnico fez as três coisas que Jon Levy me contou antes: comunicar às pessoas o que fizeram de errado, contar-lhes como ficou aborrecido com as falhas e lembrar a elas que são muito melhores do que isso.

"Em outras palavras, o desempenho é ruim, mas *elas* são boas."

— Exatamente. Veja, é muito importante, na liderança de pessoas, lembrar que o comportamento e o *valor* do indivíduo são coisas diferentes. O que realmente faz a diferença é a *pessoa* que está gerenciando seu próprio desempenho.

— Acho que isso também se aplica quando estamos gerenciando nosso *próprio* desempenho.

— Claro — concordou o gerente, enquanto abria outra tela no computador. — Se você entender isso, saberá qual é a chave para oferecer um Redirecionamento-Minuto bem-sucedido.

*

*Nós não somos apenas
nosso comportamento.*

*Somos também a pessoa
que gerencia
nosso comportamento.*

*

O rapaz falou:

— Parece que há muito respeito e consideração por trás de um redirecionamento.

— Estou satisfeito por você ter notado, meu jovem. Você será mais bem-sucedido quando respeita o indivíduo que está redirecionando.

O rapaz hesitou um pouco antes de fazer a próxima pergunta:

— Se é fato que os Elogios-Minuto e os Redirecionamentos-Minuto são eficazes, não poderiam ser encarados como modos de manipular pessoas e obrigá-las a agir de acordo com a vontade do gerente?

— Ótima pergunta! A manipulação implica o controle sub-reptício para obter vantagens. Se você está tentando manipular pessoas, vai acabar fazendo um mau trabalho, o que não ficará sem troco.

"É preciso entender que seu trabalho é mostrar às pessoas como gerenciar a si próprias e encontrar satisfação nisso. O objetivo é que elas sejam bem-sucedidas mesmo quando você não está por perto.

"E é por isso que é tão importante deixar as pessoas saberem desde o início o que você está fazendo e por quê.

"É como tudo na vida. Há coisas que funcionam e coisas que não funcionam. Ser honesto com as pessoas gera o melhor resultado. Como você já deve ter percebido, ser desonesto só gera desentendimentos."

O rapaz falou:

— Agora compreendo de onde vem o poder do seu estilo de gerenciamento: o senhor se importa com as pessoas.

— Sim, é verdade. Mas também me importo com os resultados.

O jovem agora via com mais clareza como pessoas e resultados estavam interligados.

Lembrou-se de como o gerente lhe parecera ríspido quando estivera com ele pela primeira vez.

Foi como se ele pudesse ler sua mente.

— Às vezes, é necessário se importar o bastante para ser durão. Ser rígido com o mau desempenho, mas não com a pessoa.

"Tenho certeza absoluta de que você sabe que cometer erros não é o problema. O problema é não aprender com eles."

— Ainda estou com uma dúvida. O que acontece quando um colaborador continua repetindo sempre os mesmos erros, mesmo depois de ter passado por um redirecionamento?

— Bem, como você acha que um gerente se sente quando isso ocorre?

— Provavelmente infeliz, irritado e até furioso.

— Sim. Nesses casos, é preciso parar por um instante e analisar a situação com calma, para que *suas* emoções não o façam cometer um erro.

"O Redirecionamento-Minuto foi criado para ajudar as pessoas a aprender. Entretanto, se um colaborador aprendeu a fazer uma tarefa e mostrou que *era capaz*, mas está assumindo uma atitude do tipo *não quero fazer*, é preciso analisar se você pode se dar ao luxo de mantê-lo na equipe e o que ele custa para a organização."

Isso fez sentido para o rapaz.

A essa altura, ele tinha aprendido a gostar do Novo Gerente-Minuto e sabia por que as pessoas gostavam tanto de trabalhar ali. Os colaboradores trabalhavam *com* ele, não *para* ele. Então, se dirigiu ao gerente, dizendo:

— Creio que o senhor pode achar isso interessante. Escrevi algumas notas para me lembrar de como objetivos e consequências estão relacionados e como os Objetivos-Minuto, Elogios-Minuto e Redirecionamentos-Minuto funcionam juntos.

Então mostrou a página, na qual escrevera:

*

*Objetivos
iniciam
comportamentos.*

*Consequências
influenciam
futuros comportamentos.*

*

— Ótimo, muito bem!
— O senhor gostou? — Perguntou o jovem, querendo ouvir o elogio de novo.
— Meu rapaz — disse o gerente, alegremente —, ser um gravador não é o propósito da minha vida. Não tenho tempo para ficar me repetindo.

Logo quando o rapaz esperava ouvir mais um elogio, sentiu que estava a ponto de passar por um Redirecionamento-Minuto.

Mas o jovem inteligente fez uma cara séria, escondendo a aflição:

— O quê?

Eles se entreolharam, depois soltaram uma boa risada.

— Gosto de você, meu jovem — disse o gerente. — Que tal trabalhar aqui?

O rapaz ficou parado, estupefato.

— Quer dizer... trabalhar para o senhor? — Perguntou, com o maior entusiasmo.

— Não. Quero dizer trabalhar para *si mesmo*, como as outras pessoas da equipe. Não acredito que alguém goste de trabalhar para os outros. Bem no fundo, as pessoas gostam de trabalhar para si mesmas.

"O pessoal da equipe trabalha como parceiros, e, juntos, buscamos meios para melhorar. Faço o melhor possível para ajudá-los a trabalhar com maior eficiência, e, no processo, todos encontramos maior prazer no trabalho e na vida pessoal. Prestamos uma grande contribuição para a organização."

Isso, naturalmente, era o que o rapaz procurara por tanto tempo.

— Eu adoraria trabalhar aqui.

E foi o que fez.

Ao longo dos anos, ele se beneficiou muito de trabalhar com um gerente tão inovador.

E, eventualmente, o inevitável aconteceu.

ELE também se tornou um Novo Gerente-Minuto.

Ele se tornou um Novo Gerente-Minuto, não porque pensava ou falava como um, mas porque liderava e gerenciava como um.
Ele mantinha a simplicidade das coisas.
Ele estabelecia Objetivos-Minuto.
Ele oferecia Elogios-Minuto.
Ele dava Redirecionamentos-Minuto.
Ele fazia perguntas breves, mas importantes; falava a mais pura verdade; ria, trabalhava e se divertia.

E, talvez mais importante que tudo, não apenas gerenciava, e sim ajudava as pessoas a serem criativas e a fazerem coisas novas. Incentivava os mais próximos a agir da mesma forma com as pessoas com quem trabalhavam.

Ele até criou um pequeno "Plano de Jogo", um esquema para ajudar os outros a se tornarem Novos Gerentes-Minuto, e resolveu dá-lo de presente aos que poderiam se beneficiar desses ensinamentos.

É o seguinte:

O Plano de Jogo do Novo Gerente-Minuto

> **Começo**
> Avise as pessoas sobre o que fará para ajudá-las a vencer.

↓

OBJETIVOS-MINUTO
- Deixe bem claro quais são os objetivos.
- Mostre o que é um bom comportamento.
- Escreva cada objetivo em uma única página.
- Revise os objetivos com frequência e de forma rápida.
- Incentive as pessoas a observarem o que estão fazendo para ver se está de acordo com seus objetivos.
- Se não estiver, apresse-as para mudar o que estão fazendo.

Objetivos alcançados (ou qualquer parte dos objetivos)
> **Você vence!**

Objetivos *não* atingidos
> **Você perde**
Para ajudá-lo a vencer

↓

ELOGIOS-MINUTO
- Elogie o comportamento.
- Não perca tempo. Seja específico.
- Diga como você se sente diante desse bom comportamento.
- Faça uma pausa para as pessoas também se sentirem satisfeitas.
- Incentive-as a manter o bom andamento do trabalho.

REDIRECIONAMENTOS-MINUTO
- Volte a esclarecer e concorde sobre os objetivos.
- Confirme o que aconteceu.
- Descreva o erro sem perda de tempo.
- Explique o que o deixa preocupado.
- Faça uma pausa para as pessoas se sentirem preocupadas.
- Diga-lhes que são melhores do que o erro cometido e que você reconhece seu valor.
- Quando o redirecionamento terminar, terminou de vez.

↓

Prossiga com mais sucesso.

Prossiga para um melhor desempenho.

MUITOS anos depois, ele voltou seu pensamento para quando ouviu falar sobre a Gerência-Minuto pela primeira vez. Parecia que fazia uma eternidade.

A necessidade de tornar sua organização mais ágil e eficiente tinha crescido ainda mais desde que conhecera o Novo Gerente-Minuto. Era grato àquele gerente especial, que fora tão generoso com seu tempo e conhecimento. Fora algo de valor inestimável.

Lembrando-se de sua promessa de compartilhar o que aprendera com outras pessoas, expandira as anotações que fizera tempos antes e dera uma cópia para cada pessoa da sua equipe.

Eles leram e disseram que o uso dos Três Segredos tinha feito uma grande diferença.

Descobriram que os Elogios-Minuto, em especial quando equilibrados com Redirecionamentos-Minuto eficazes, eram um modo poderoso de alcançar os Objetivos-Minuto mais depressa.

Várias pessoas também revelaram que estavam usando os princípios em casa e tendo grande satisfação em flagrar os membros da família fazendo coisas certas.

Uma vez, Liz Aquino comentou:

— Obrigada por me contar os Três Segredos. Hoje em dia, tenho muito mais tempo.

O rapaz respondeu:

— Devemos agradecer ao Novo Gerente-Minuto por isso.

Sentado à sua mesa, ele se deu conta de que era um homem de sorte.

Agora, tinha tempo para pensar, planejar e oferecer à organização o tipo de ajuda de que ela realmente precisava.

Tinha mais tempo para ficar com a família e se dedicar a outros interesses. Até conseguia relaxar. Sentiu que tinha a sorte de passar por menos estresse do que outros gerentes que conhecia.

Como o pessoal de sua equipe estava indo tão bem, sua divisão apresentava menos problemas que poderiam gerar custos para a organização, menos doenças e menos absentismo.

Pensando no passado, ficou feliz por não ter demorado a usar a Gerência-Minuto até achar que a aprendera *perfeitamente*.

Certa vez confessou à sua equipe:

— Não estou acostumado a dizer às pessoas quanto elas são boas ou como me sinto. Não tenho certeza de que vou sempre dizer a vocês que os valorizo e estou satisfeito com seu trabalho depois de dar um redirecionamento.

Então, foi obrigado a sorrir quando alguém disse:
— Bem, você poderia pelo menos *tentar*!

Pelo simples fato de perguntar às pessoas se queriam ser gerenciadas por um gerente desse tipo e admitir que talvez não conseguisse fazer tudo certo, realizara algo de grande importância.

As pessoas ficavam sabendo logo no início que ele estava mesmo ao lado delas, e *isso* fazia toda a diferença.

ELE estava absorto em seus pensamentos e, quando o telefone tocou, levou um susto.
Ouviu sua assistente dizer:
— Bom dia. Uma moça está no telefone e gostaria de saber se poderia marcar uma hora para conversar sobre o modo como gerenciamos aqui.
Ele sorriu, lembrando-se de suas experiências anteriores.
— Terei muita satisfação em recebê-la.
No dia da entrevista, ao receber a moça, logo percebeu que ela era esperta e inteligente, e falou:
— Estou honrado por poder compartilhar com você o que aprendi sobre liderança e gerenciamento.
Enquanto oferecia uma cadeira a ela, acrescentou:
— Só vou lhe pedir uma coisa.
— E o que seria? — perguntou a visitante, um tanto surpresa.
— É muito simples — começou —, se achar que foi útil, você vai...

Compartilhar com outras pessoas.

FIM

Agradecimentos

Ao longo dos anos, fomos influenciados por muitos indivíduos e aprendemos com eles. Gostaríamos de agradecer a todos e fazer um elogio público para:

Larry Hughes, pela publicação criativa, única, da edição original.

Drs. Gerald Nelson e Richard Levak, pela criação da Repreensão-Minuto, um método extremamente eficaz de os pais disciplinarem seus filhos. Adaptamos seu método para Redirecionamento-Minuto.

Dr. Elliott Carlisle, pelo que nos ensinou sobre a delegação eficaz.

Dr. Thomas Connellan, pelo que nos ensinou sobre como tornar claros os conceitos e as teorias comportamentais.

Drs. Dorothy Jongeward, Jay Shelov e Abe Wagner, pelo que nos ensinaram sobre comunicação e bem-estar das pessoas.

Dr. Robert Lorber, pelo que nos ensinou sobre a gestão das consequências na indústria e no mundo dos negócios.

Dr. Kenneth Majer, pelo que nos ensinou sobre estabelecimento de objetivos e desempenho.

Dr. Carl Rogers, pelo que nos ensinou sobre honestidade e franqueza.

Agradecimentos

Louis Tice, pelo que nos ensinou sobre liberar o potencial humano.

Também queremos agradecer nossa maravilhosa agente literária, *Margret McBride; Richard Andrews;* nossas excelentes editoras, *Nancy Casey* e *Martha Lawrence;* nosso talentoso designer, *Patrick Piña;* e *Faye Atchison* por toda a ajuda.

Sobre os autores

Ken Blanchard, um dos mais influentes especialistas em liderança do mundo, é coautor do best-seller *O Gerente-Minuto*, um verdadeiro ícone do mundo dos negócios, e de mais 60 outros livros, cuja venda combinada somou um total de mais de 21 milhões de exemplares. Seus livros vanguardistas foram traduzidos em mais de 42 idiomas, e, em 2005, ele recebeu o galardão do Hall da Fama da Amazon por ser um dos 25 maiores autores de best-sellers de todos os tempos.

Junto com a esposa, Margie, fundou The Ken Blanchard Companies, uma empresa internacional de treinamento e consultoria em gerenciamento sediada em San Diego, na Califórnia, e Lead Like Jesus [Lidere como Jesus], uma organização mundial dedicada a ajudar as pessoas a se tornarem líderes servos do Senhor.

Ken tem recebido muitos prêmios e honrarias por sua contribuição nos campos da gerência, liderança e oratória. A National Speakers Association concedeu sua maior láurea, The Council of Peers Award of Excellence. Foi levado ao Hall da Fama HRD pela revista *Training* e recebeu o prêmio Golden Gavel da Toastmasters International. Também recebeu o prêmio The Thought Leadership pela Association of Learning Providers (ISA).

Quando não está escrevendo ou ministrando palestras, Ken ensina estudantes no Master of Science in Executive Leadership Program, da Universidade de San Diego.

Nascido em Nova Jersey e criado em Nova York, ele concluiu seu mestrado na Colgate University e o BA e Ph.D. na Cornell University.

Sobre os autores | 123

Spencer Johnson, M.D., médico, é um dos mais admirados líderes no campo do pensamento e um dos escritores mais lidos do mundo. Seus livros são parte integrante de nossa linguagem e cultura.

Chamado de "Rei das Parábolas" pelo USA Today, o Dr. Johnson é muitas vezes citado como o melhor nas explicações de temas complexos e na apresentação de soluções simples que funcionam. Seus pequenos livros contêm ideias valiosas e ferramentas práticas que milhões de pessoas têm usado para ter mais felicidade e sucesso com menos estresse.

Seus 13 best-sellers, que estiveram na lista do New York Times, incluem Quem mexeu no meu queijo? Uma maneira fantástica de lidar com as mudanças em seu trabalho e em sua vida e O Gerente-Minuto: Um guia de valor incalculável para o executivo moderno, em coautoria com Ken Blanchard.

Em uma época em que muitos aprenderam a ficar céticos diante de respostas simplistas, milhões de leitores em todo o mundo descobriram que as verdades simples encontradas nas parábolas de Spencer Johnson têm valor incalculável.

A formação do Dr. Johnson inclui um grau de BA em Psicologia da University of Southern California, um grau MD do Royal College of Surgeons e a posição de secretário médico na Mayo Clinic e Harvard Medical School.

Ele serviu como médico pesquisador no Institute for Interdisciplinary Studies; foi Leadership Fellow na The Harvard Business School e consultor no Center for Public Leadership na Harvard's Kennedy School of Government.

Mais de 50 milhões de exemplares dos livros de Spencer Johnson, traduzidos para 47 idiomas, estão em uso no mundo inteiro.

Dê o próximo passo

The Ken Blanchard Companies® disponibilizam os seguintes materiais e serviços

O Treinamento do *Novo Gerente-Minuto*

Há mais de três décadas, *O Gerente-Minuto* é parte de todas as bibliotecas essenciais de cada gerente. Agora você pode desenvolver seu potencial gerencial explorando a sabedoria de *O Novo Gerente-Minuto* e desenvolver as habilidades práticas que são críticas para seu sucesso. Aprenda como se tornar um gerente mais eficaz em www.kenblanchard.com

Os conceitos desse livro são alguns dos muitos modos pelos quais The Ken Blanchard Companies® ajudam as organizações a melhorar seu desempenho, aumentar o engajamento dos colaboradores e a lealdade dos clientes em todo o mundo. Se você gostaria de obter informações adicionais sobre como aplicar esses benefícios dentro de sua empresa, entre em contato conosco:

The Ken Blanchard Companies®
The Leadership Diference®
Telefone: +1-760-489-5005
Contato: www.kenblanchard.com/inquire
Website: www.kenblanchard.com

Blanchard International Brazil:
Intercultural
Prof. Peter Barth
Telefones: + 55 (24) 2222-2422/0800 0262422
Email: brazil@kenblanchard.com - info@kenblanchard.com.br
www.kenblanchard.com.br

Disponível por meio de Spencer Johnson, MD

Livros de Spencer Johnson
Descubra mais sobre os livros do Dr. Spencer Johnson em www.spencerjohnson.com

Pessoas satisfeitas consigo mesmas produzem resultados melhores.